# MARIE MADELEINE
## EN PROVENCE

JEAN-PAUL CLÉBERT

# MARIE MADELEINE
## EN PROVENCE

Cet ouvrage a été publié
sous la direction de Laurence Fritsch.


10, rue La Vacquerie, 75011 Paris
ISBN : 2-86645-305-0

*À Jacques Lacarrière*
*qui m'a montré le chemin*

# INTRODUCTION

Trois montagnes dominent la Provence occidentale : le mont Ventoux, la Sainte-Victoire, la Sainte-Baume. Un mont chauve, un mont pelé, un mont hanté. Chacun de ces massifs aurait pu prétendre devenir l'Olympe de cette Grèce déplacée. Mais non. Le Ventoux est un haut lieu touristique, la Sainte-Victoire un haut lieu culturel. Rien n'y atteste, ou presque, la permanence d'un culte religieux qui aurait perduré là à travers ses métamorphoses. Seule la Sainte-Baume est un haut lieu sacré.

Ce n'est pas une montagne comme les autres. C'est un paysage mental. Il faut le regarder comme ceux qui, dans la peinture de la Renaissance, forment un « cadre » fantastique et symbolique aux grands thèmes de l'iconographie religieuse. Ces chaos rocheux qui attirent les solitaires. Un paysage pour contemplatifs : à la fois naturel et surnaturel, profane et mystique. La Sainte-Baume, c'est la présence d'un lieu habité par une absence.

La Sainte-Baume : une épaisse forêt que domine une immense falaise – l'image même de celle qui la hante, nue sous sa chevelure. Elle, c'est Marie Madeleine. Pour les historiens, elle ne vient de nulle part. Pour les hagiographes, elle vient d'ailleurs. Personnage mythique et composite, né de plusieurs Marie dont nous parlent les Évangiles. La tradition provençale, dès le Moyen Âge, nous dit qu'elle est venue de Palestine, pécheresse repentie qui a rencontré le Christ, pour aborder en Camargue, évangéliser la Provence et se retirer enfin, le reste de sa vie, en ce lieu austère. C'est moins de l'histoire qu'une histoire. Une histoire édifiante et respectable. Entre les vérités légendaires et les supputations historiques, il y a sans doute place pour un fantasme masculin : la prostituée qui se transforme en sainte. Un fait divers de portée universelle. Et paradoxal : d'innombrables témoignages et pas un seul témoin. Madeleine n'a jamais existé et elle est là, bien vivante. « Après tout, que Marie Madeleine soit venue ici ou qu'elle n'y soit pas venue, elle y est », déclarait le père Vayssière qui fut le gardien de ce lieu oraculaire de 1900 à 1932. Il en est ainsi de Dieu : il n'est pas nécessaire de le voir pour y croire.

Mais le croyant a des preuves, qu'il veut raisonnables et convaincantes. Le culte de Marie Madeleine en a motivé un nombre « incroyable » que ce petit livre est loin d'épuiser.

Notre époque valorise les itinéraires spirituels, les chemins du sacré. On marche beaucoup, à travers les livres, sur les pas de Jésus, de Marie, de Jeanne d'Arc… On ne s'arrête peut-être pas assez sur l'osmose qui se fait entre l'environnement et la méditation. Il faudrait mettre en évidence une géomystique, complémentaire de la géopoétique. L'histoire qu'on nous propose de la vie de Marie Madeleine dans la Sainte-Baume est un exemple significatif de cette cohérence entre la pénitente et la montagne. Marie Madeleine n'existe guère en dehors de la Sainte-Baume. La Sainte-Baume, sans Marie Madeleine, n'est qu'un parc naturel.

Marie Madeleine n'a pas choisi la Sainte-Baume. « On » l'a choisie pour elle. Et la montagne l'a accueillie, acceptée, s'est prêtée à son retirement et l'a confortée dans sa pénitence. Elle lui a accordé la protection et assuré la solitude. La Sainte-Baume n'est pas la maison d'un grand homme qu'on visite comme un musée. C'est un sanctuaire. Un lieu géographique qui devient un espace sacré, une terre différente des autres, non pas « chargée » d'histoire (en supportant le poids) mais chargée (au sens électrique) d'une force tellurique.

En s'enfermant dans le silence, après avoir si longtemps prêché, Marie Madeleine donne la parole à la Sainte-Baume, lieu oraculaire, lieu où souffle l'esprit. « Du trou d'ombre que la grotte de sainte Marie Madeleine ouvre au flanc de la falaise illuminée, s'échappe, comme d'un secret tabernacle, la Parole que la sainte a transmise aux apôtres et qui, d'elle à eux, est venue jusqu'à nous », écrit l'un de ses hagiographes [1].

---

1. Ph. André-Vincent, *La Sainte-Baume*, Laffont, 1950.

## Chapitre Premier

# MYTHE OU RÉALITÉ ?

### *Identité, authenticité*

Pour débrouiller l'écheveau de la vie légendaire de Marie Madeleine, il faut d'abord recourir aux textes des évangélistes qui, tels des palimpsestes, se recouvrent les uns les autres.

Selon saint Luc (VII, 56 *sq.*), « un pharisien priait Jésus de manger chez lui... Aussitôt une femme de la ville, qui était de mauvaise vie, ayant appris qu'il était à table chez le pharisien, y apporta un vase d'albâtre plein de parfum. Et, se tenant derrière lui à ses pieds, elle commença à les arroser de ses larmes, et elle les essuyait avec ses cheveux, les baisait et les oignait de ce parfum... » Au pharisien scandalisé de ce qu'une femme, qui plus est, une prostituée, transgresse la coutume en osant pénétrer chez les hommes, non voilée, les cheveux défaits, et que le Prophète ne se détourne pas de cet attouchement, Jésus déclare alors : « Voyez-vous cette femme ? Je suis entré dans votre maison, vous ne m'avez point donné d'eau pour me laver les pieds, et elle, au contraire, a arrosé mes pieds de ses larmes, et les a essuyés avec ses cheveux. Vous ne m'avez point donné de baiser, mais elle, depuis qu'elle est entrée, n'a cessé de baiser mes pieds. Vous n'avez pas répandu d'huile sur ma tête, et elle a répandu un parfum sur mes pieds. C'est pourquoi je vous déclare que beaucoup de péchés lui seront remis, parce qu'elle a beaucoup aimé. » On remarquera que cette femme, prototype de la pécheresse repentie (et pardonnée) n'a pas de nom. Et c'est sans doute volontairement que saint Luc lui conserve l'anonymat, signe de modestie et d'effacement.

Saint Matthieu, lui, lève une partie du voile en rapportant une scène de la vie du Christ, répétitive sinon identique : « Comme Jésus était à Béthanie, dans la maison de Simon le Lépreux, une femme vint à lui avec un vase d'albâtre plein d'un parfum de grand prix, et elle le répandit sur la tête de Jésus lorsqu'il était à table. » Devant l'incompréhension des convives, Jésus déclara : « Je vous le dis en vérité, partout où sera prêché cet Évangile, on racontera à la louange de cette femme ce qu'elle vient de faire… » (XXVI, 6 *sq.*).

Saint Marc, à son tour, raconte l'histoire en d'autres termes, mais confirme le lieu où elle se déroule. « Pendant que Jésus était à Béthanie, chez Simon le Lépreux, et qu'il était à table, il vint une femme avec un vase d'albâtre plein d'un parfum de grand prix, composé de nard, et, ayant rompu le vase, elle répandit le parfum sur la tête de Jésus. » Aux assistants désemparés, Jésus dit : « Elle a embaumé mon corps par avance pour ma sépulture. » Et répète la prédiction rapportée par saint Luc quant au retentissement universel de ce geste.

Autre témoignage, celui de saint Jean (XI, 1) qui situe la scène dans un autre contexte : « Il y avait un homme malade, nommé Lazare, qui était du bourg de Béthanie, où demeuraient Marie et Marthe sa sœur. » Voilà Marie enfin nommée et identifiée comme la sœur de Marthe et de Lazare. « Cette Marie était celle qui répandit sur le Seigneur un parfum et qui essuya ses pieds avec ses cheveux. » Il s'agit bien de la pécheresse anonyme de saint Luc. Mais la suite de l'Évangile de saint Jean brouille les données. « Six jours avant la Pâque, Jésus vint à Béthanie où était mort Lazare qu'il avait ressuscité. On lui donna à souper. Marthe servait à table et Lazare était un de ceux qui mangeaient avec lui. Pour Marie, elle prit une livre de parfum de nard de grand prix ; elle le répandit sur les pieds de Jésus et les essuya avec ses cheveux ; et la maison fut tout emplie de l'odeur de ce parfum. » L'Évangéliste ne dit pas que Marie embrassa les pieds du Christ, mais il confirme les paroles rapportées par saint Luc.

Pour compliquer les choses, semble-t-il, saint Luc lui-même, après avoir raconté l'épisode du repas chez le pharisien, reprend celui de la visite chez Marthe. « En cours de route, Jésus entra dans un village et une femme du nom de Marthe le reçut chez elle. Celle-ci avait une sœur appelée Marie qui, s'étant assise aux pieds du Seigneur, écoutait sa parole. Marthe, elle, était absorbée par les multiples soins du service. Intervenant, elle dit : "Seigneur, cela ne te fait rien que ma sœur me laisse ainsi servir toute seule ! Dis-lui donc de m'aider." Mais le Seigneur lui répondit : "Marthe, tu t'inquiètes et tu t'agites pour peu de choses. C'est Marie qui a choisi la meilleure part. Elle ne lui sera pas enlevée." »

À cette Marie de Béthanie succède alors une Marie de Magdala. Selon saint Luc, elle faisait partie de l'entourage féminin de Jésus, l'accompagnant dans ses déplacements aux côtés des apôtres. Parmi ces femmes, il en était « qui avaient été guéries d'esprits mauvais et de maladies : Marie fut nommée la Magdaléenne, de laquelle étaient sortis sept démons. »

Ces femmes, qui venaient de Galilée, assistèrent à la Passion, à la crucifixion puis à l'ensevelissement. Le lundi de Pâques, elles se rendirent au sépulcre, chargées d'aromates destinés à l'embaumement, et découvrirent que le tombeau était vide. Au premier rang se tenait Marie de Magdala. Les quatre évangélistes sont d'accord là-dessus. C'est toutefois saint Jean qui donne le plus de détails sur cet événement. « Cependant, Marie se tenait près du tombeau et sanglotait. Tout en sanglotant, elle se penche vers le tombeau et voit deux anges, vêtus de blanc, assis là où repose le corps de Jésus. Ils lui disent : "Femme, pourquoi pleures-tu ?" "On a enlevé mon Seigneur, répond-elle, et je ne sais pas où on l'a mis." En disant cela, elle se retourne et voit Jésus qui se tenait là, mais sans savoir que c'était lui. Jésus lui dit : "Femme, pourquoi pleures-tu ? Qui cherches-tu ?" Le prenant pour le jardinier, elle lui dit : "Seigneur, si c'est toi qui l'as emporté, dis-moi où tu l'as mis et j'irai le prendre." Jésus lui dit : "Marie !" Elle le reconnut et lui dit en hébreu : "Rabbouni !" c'est-à-dire Maître. Jésus lui dit : "Ne me retiens pas ainsi car je ne suis pas encore monté vers le Père. Mais va trouver les frères et dis-leur : Je monte vers mon Père et votre Père, vers mon Dieu et vers votre Dieu." Et Marie de Magdala va donc annoncer aux disciples qu'elle a vu le Seigneur et qu'il lui a dit ces paroles. »

De ces trois femmes, l'hagiographie médiévale n'en fera qu'une : Marie Madeleine, ou plutôt Magdeleine, en souvenir de Marie de Magdala. Mais cette réduction de trois personnes en une, cette autre trinité, n'est pas sans prêter à confusion. D'abord sur ce nom de Madeleine. Si Marie, témoin de la résurrection est dite de Magdala, c'est parce qu'elle venait de ce village de Galilée. Mais Marie était native du village de Béthanie que les exégètes situent « dans la banlieue de Jérusalem, sur le versant oriental du mont des Oliviers, à quinze stades [1] ou deux milles de la

---

1. Un stade équivaut à 180 mètres.

Ville sainte, très souvent nommée dans l'Évangile comme le bourg qu'habitaient Lazare, Marthe et Marie Madeleine, consacrée par le fréquent séjour du Sauveur et l'hospitalité qu'il y reçut. » (Valuy [1]) Or, selon la tradition, cette Marie y possédait le château de Magdalon !

Cette précision nous entraîne dans une autre confusion, celle concernant cette fois sa personnalité, sa condition de pécheresse repentie. À la « femme de la ville, qui était de mauvaise vie », selon saint Luc, se superpose une châtelaine fortunée menant une vie frivole. Le même hagiographe Valuy explique sa conduite en termes assez savoureux : « Parce que la beauté s'allie rarement à la chasteté, et que la richesse et la continence ne vont guère ensemble, la plus jeune des deux sœurs, succombant à l'inexpérience et à l'attrait d'une dangereuse liberté, se retira en son château de Magdalon où, débarrassée des regards importuns, elle commença bientôt à se complaire dans ses talents naturels et à rechercher les délices mondaines. Trop souvent, les grâces extérieures sont un piège ; un esprit brillant, sans même s'en rendre compte, répand autour de lui la séduction ; la noblesse de l'extraction, une grande fortune, en permettant de se hasarder, ébranlent peu à peu la pudeur ; enfin, l'effervescence de l'âge, l'aiguillon de la chair, l'infirmité du sexe achèvent de ruiner la vertu. »

Bien loin d'être une pauvre fille contrainte à vivre de ses charmes, cette pécheresse n'est qu'une femme libre, une juive sans doute séduite par la civilisation moderne et qui veut sortir de la condition féminine imposée par les pharisiens. Ainsi, transgressant les interdits de la coutume, elle ne porte pas le voile, dénoue ses cheveux, entre dans la maison des hommes. Sans doute est-elle

1. R. P. Benoît Valuy, *Sainte Marie Madeleine*, Lyon, 1867.

avide de mondanités, ce qui choque certainement les religieux qu'elle rencontre. Saint Jérôme et saint Augustin parleront d'elle comme d'une adultère, bien que rien ne dise qu'elle ait été mariée.

Pour parfaire le portrait d'une Marie Madeleine idéale, il ne suffisait pas d'invoquer une pécheresse repentie : il fallait aussi qu'elle se retirât au désert. Les trois Marie des évangélistes ne convenaient pas à cette fin édifiante. La tradition ajouta à ce portrait-robot la figure d'une autre Marie, dite l'Égyptienne. L'histoire – et non pas la légende, cette fois – retient d'elle que, « s'étant repentie de sa vie de prostituée à Alexandrie, elle passa quarante ans de sa vie à errer seule dans le désert d'Égypte. Juste avant sa mort, elle fut découverte par un moine nommé Zosime. » (J. Coulson [1]). Ce Zosime n'a pas retenu l'attention des hagiographes : ce n'était qu'un modeste moine qui se fit ermite mais qui passera à la postérité en devenant le prototype du saint Maxime de la légende magdaléenne.

Cette Marie l'Égyptienne, dont Jacques Lacarrière nous a raconté plusieurs fois l'histoire [2], fut d'abord une simple fille qui se prostituait à Alexandrie. Toutefois, si elle se donnait ainsi à tous les passants, ce n'était pas pour de l'argent, poussée par la faim, mais bien pour le plaisir, la volupté, le goût de la débauche la plus avilissante. Au point qu'elle accompagna des pèlerins égyptiens s'embarquant pour Jérusalem, afin, dit-elle, « de donner plus de complices à sa fureur ». Parvenue devant l'église dédiée à saint Jean Baptiste, elle voulut se mêler à la foule des fidèles et y pénétrer. Une force inconnue l'en

1. John Coulson, *Dictionnaire historique des saints,* Paris, 1964.
2. Jacques Lacarrière, *Marie d'Égypte,* Lattès.

empêcha. Impressionnée par cette manifestation divine, elle se mit à réfléchir sur sa vie passée et prit la décision de se convertir, de ne plus se consacrer qu'à Dieu. Et, obéissant à sa nature excessive, elle se retira dans le désert, non point en Égypte, mais au bord du Jourdain. Là, elle se mortifia et se sanctifia au point d'acquérir des pouvoirs miraculeux comme celui de s'élever dans les airs et de ne se nourrir que de pain providentiel. On trouve ici deux thèmes récurrents de la tradition magdaléenne qui, jusque-là, faisaient défaut.

C'est en ce désert qu'à la fin de sa vie – après quarante ans de solitude – elle fut surprise par le moine Zosime. Les bollandistes [1] nous rapportent l'événement dans leur style singulier : « Zosime, au cours d'une retraite dans le désert, eut, à midi [l'heure des apparitions], la vision d'une apparence humaine marchant devant lui. Il crut d'abord à un spectre contre lequel il se défendit à coups de signes de croix. Puis reconnut qu'il s'agissait d'un être humain bien vivant, dont le corps était tout noir et brûlé de soleil, et dont les cheveux, qui tombaient jusqu'aux épaules, étaient blancs comme de la laine. Il voulut entrer en contact avec cet homme, cet autre serviteur de Dieu, mais l'être s'enfuit. Il le poursuivit dans une forêt épaisse [cf. la Sainte-Baume]. Rejoint enfin, l'être se révéla être une femme qui lui demanda de la couvrir de son manteau. Puis elle lui raconta sa vie de prostituée à Alexandrie [2]. »

---

1. On désigne sous le nom de bollandistes les rédacteurs de la plus vaste hagiographie générale, publiée sous le titre de *Vies des saints,* entreprise par Jean Bollandus en 1643 et poursuivie jusqu'en 1734 (42 volumes). Je me sers ici d'une édition réduite à 17 volumes, publiée par Mgr Paul Guérin, Bloud et Barral, Paris, 1878.
2. Les Petits Bollandistes, *Vie des saints,* Paris, Bloud et Barral, 1878.

Que Zosime prenne Marie pour un homme n'a rien d'étonnant : la vie quotidienne des ermites les transformant peu à peu en êtres asexués. Surtout, il était quasi impossible pour un moine de ce temps de rencontrer une femme égarée dans le désert. Les femmes anachorètes étaient, dans l'Antiquité, fort rares. Aux yeux des moines misogynes, « la place des femmes n'était pas au désert, et chaque fois qu'ils en voyaient une, ils la tenaient plutôt pour un démon que pour un être humain. La raison en est que le démon prenait très souvent les traits d'une femme, en général pauvre et affamée, égarée dans le désert et suppliant l'anachorète de lui accorder l'hospitalité pour la nuit. Ce qui explique que les quelques femmes qui vécurent au désert comme anachorètes préférèrent se faire passer pour des hommes [1]. »

Marie l'Égyptienne vécut au v$^{e}$ siècle. Sans doute est-elle morte en 421, à l'âge de 78 ans, près de quatre siècles après les autres Marie, mais moins de cent ans avant la formation de la légende magdalénienne.

## *La légende*

La légende hagiographique de Marie Madeleine précède à la fois la tradition provençale de son débarquement en Camargue et son séjour dans la Sainte-Baume, comme le culte dont elle fera l'objet autour de cette montagne.

Les premières mentions d'une Marie Madeleine – réunissant les traits des trois Marie, mais gratifiée d'une existence et d'une personnalité autonomes – sont orientales. Dès le milieu du v$^{e}$ siècle, les gens d'Éphèse ont revendiqué la possession du corps et du tombeau de la sainte femme,

1. Jacques Lacarrière, *Les Hommes ivres de Dieu,* Arthaud, 1961.

morte selon eux en ce lieu emblématique. En 899, l'empereur Léon VI en fit transporter les reliques dans un monastère de Constantinople, où elles demeurèrent, dit-on, jusqu'au pillage de la ville par les croisés en 1204.

En Occident, si l'on considérait comme authentique l'existence de cette femme, on ignorait où elle avait été ensevelie. Aux yeux des historiens modernes, cette approche de l'existence réelle de Marie Madeleine paraît pour le moins suspecte. Les hagiographes – et ceux du XIXe siècle en particulier – ont fait grand état d'un ouvrage intitulé *Vie de sainte Marie Madeleine et de sainte Marthe,* composé au IXe siècle par Raban Maur, évêque de Mayence (mort en 856). Cette pieuse biographie [1] insérait d'autres *vitae* apocryphes, dont l'une rédigée par un auteur anonyme au Ve ou au VIe siècle. Cette « ancienne vie » faisait allusion à la mort de Marie Madeleine à Saint-Maximin, mais la Sainte-Baume n'était pas nommée, et il n'y était nullement question de ses nourritures terrestres ni de de ses lévitations extatiques. Raban Maur lui-même ne prenait ce texte qu'avec prudence et avertissait le lecteur que « comme les empoisonneurs ne manquent pas pour faire avaler plus sûrement le poison d'y mêler le miel en abondance », quelque faussaire avait joint à cette Vie au moins deux traits apocryphes : l'enlèvement de la sainte dans les airs par les anges et sa conservation au moyen d'aliments célestes que les esprits lui servaient.

Pour Raban Maur, l'identité de Marie Madeleine ne pose guère de question. Il confond les trois Marie des Évangiles en une seule et même personne, fidèle en cela à l'opinion des principaux Pères de l'Église. Ce que confirmeront la plupart des auteurs ecclésiastiques :

1. Dont beaucoup d'historiens contestent l'authenticité.

« Nous supposons, après Tertullien, saint Ambroise, saint Jérôme, saint Augustin, saint Grégoire le Grand, saint Bernard, saint Thomas d'Aquin et plusieurs autres saints docteurs, que c'est la même Marie, surnommée Madeleine, qui fut délivrée par Notre-Seigneur de sept démons qui la possédaient ; qui lui parfuma les pieds chez Simon le Lépreux ; qui était sœur de Lazare et de Marthe ; qui lui fit d'autres onctions au château de Béthanie ; qui accompagnait la Sainte Vierge au pied de sa croix ; qui porta des aromates pour oindre son corps dans le sépulcre, et à qui il apparut en l'absence des autres saintes femmes » (les bollandistes[1]).

Si Raban Maur croit identifier Marie Madeleine, il ne dit rien, on le voit, du lieu de sa pénitence ni de l'endroit où se trouve son tombeau. Cette localisation dans la Sainte-Baume ne se fera qu'un peu plus tard quand la tradition provençale prendra racine, sur laquelle repose en fait toute la geste de Marie Madeleine, sans que l'on sache d'ailleurs comment elle s'est formée.

## *La tradition provençale*

L'analyse de ces divers canevas n'en jette pas moins sur cette affaire un éclairage frisant qui souligne avec netteté le relief qu'ont pris, au cours des siècles, le culte de la Madeleine et la sacralisation de la Sainte-Baume. La tradition provençale dit d'abord qu'au milieu du Ier siècle, soit quelques années après la mort du Christ, les apôtres furent chassés de Galilée et de Jérusalem, et qu'ils le furent par les juifs. L'antisémitisme médiéval n'est pas étranger à cette affirmation gratuite. Il a transformé une Diaspora évangé-

1. Les Petits Bollandistes, *Vies des saints de l'Ancien et du Nouveau Testament*, *op. cit.*

lique en une méchante querelle religieuse. De tous les textes dont nous disposons, on retiendra encore celui des Petits Bollandistes parce qu'il reflète assez bien le climat mental dans lequel s'est formée la légende :

« Les Grecs veulent que Madeleine soit morte et enterrée à Éphèse ; on peut leur accorder qu'elle y fit un voyage et y demeura quelque temps avec la Sainte Vierge ; mais, étant retournée en Judée, elle ne put cette fois ignorer la fureur des juifs qui la haïssaient d'autant plus qu'elle avait été plus affectionnée à Notre-Seigneur, et que la vie de Lazare, son frère, était un reproche continuel de leur opiniâtreté et de leur malice. Elle fut donc saisie avec le même Lazare et avec sainte Marthe, sa sœur, et, selon l'ancienne tradition confirmée par le témoignage d'une infinité de graves auteurs anciens et modernes, ces barbares la mirent avec tous ses compagnons sur la mer Méditerranée, dans un mauvais vaisseau, dépouillé de toutes les choses nécessaires à la navigation, afin qu'ils périssent dans les eaux. Saint Maximin, l'un des soixante-douze disciples de Notre-Seigneur, Sidoine, que l'on tient pour être l'aveugle-né dont il est parlé dans l'Évangile, et beaucoup d'autres, furent exposés au même péril. »

Sans rames ni voiles, sans pilote ni gouvernail, la barque navigua longtemps, à la dérive, cabotant le long des côtes mais ne touchant jamais terre jusqu'au jour où elle s'échoua sur une plage déserte, abandonnée des hommes et, semble-t-il, de Dieu lui-même. Ce lieu – véritable désert au sens érémitique – fut reconnu comme un site du littoral camarguais, où se fondera le bourg des Saintes-Maries-de-la-Mer.

Désert, le lieu n'était pourtant pas inconnu des Anciens. La première mention de ce site se trouve dans le *Périple* d'Avienus qui date du IVe siècle avant notre ère, sous le nom de *oppidum priscum Râ*. *Priscum* veut dire antique, *Râ* est plus énigmatique. On l'a traduit généralement par « radeau », terme par lequel les Camarguais désigneront les îles flottantes des environs du Vaccarès. Le mot s'est partagé entre les sens d'îlot témoin et de barque non pontée. Ainsi s'expliquera le toponyme médiéval de *Sancta Maria de Ratis,* premier nom des Saintes-Maries-de-la-Mer. Le lieudit semble de plus avoir été vénéré depuis la plus haute Antiquité. Strabon prétend que les Grecs y avaient élevé un temple à l'Artémis d'Éphèse (curieuse coïncidence). On y a retrouvé un cippe dédié aux Junons, ces Matres qui, au nombre de trois, étaient honorées là comme fécondatrices (autre coïncidence qui nous ramène aux trois Marie).

Le lieu choisi par la tradition n'est pas dû au hasard. Loin des villes surpeuplées de Marseille et d'Arles, la Camargue est alors pratiquement inhabitée. Seuls quelques bergers ou des chasseurs braconniers s'y égarent. Un petit nombre de pêcheurs y vivent dans un état sauvage proche de celui des anachorètes. De plus, l'horizon est incertain : l'eau s'y mêle à la terre et l'air y provoque des mirages.

Tout inhospitalier qu'était l'endroit, les naufragés furent sans doute contents de toucher terre. On dit qu'ils y trouvèrent une source d'eau douce et que leur premier acte fondateur fut l'élévation d'un petit autel d'argile pétrie. Lors des fouilles ordonnées par le roi René, en 1448, on trouva à une canne de profondeur (environ deux mètres) une grande quantité de terre pétrie, très différente de celle remuée dans le chœur de l'église forteresse. Là se dressait une petite colonne de pierre blanche très usée et surmontée d'un petit bloc de marbre en forme d'autel portatif. C'était, de toute évidence, le premier oratoire des apôtres. On découvrit également, au milieu de la chapelle, un puits d'eau douce.

Réconfortés par le miraculeux achèvement de leur voyage dans lequel ils voyaient la manifestation de Dieu leur enjoignant d'essaimer pour lui rendre grâces et propager la bonne parole, les apôtres se séparèrent. Trois femmes (soulignons au passage ce nombre symbolique) décidèrent de rester en ce lieu qui leur semblait avoir été désigné pour leur retraite au désert : Marie-Jacobé et Marie-Salomé avec leur servante Sara. Ces deux femmes – que Raban Maur ne nomme pas – passent pour avoir été respectivement la sœur de la Vierge et la mère des apôtres Jacques et Jean. Ainsi devaient-elles être d'un âge avancé. Doutant peut-être de leurs forces plutôt que de leur foi, elles décidèrent de rester en ce lieu qui leur semblait un désert parfait – sur cette plage dont Barrès dira qu'elle est « la plus triste du monde ». « Les deux vieilles Maries, demeurées seules sur le rivage avec leur fidèle Sarah [1], se mouraient lentement, assises près de la fontaine miraculeuse. Le paysage désert et gris, que fleurissaient d'espoir les mirages, était comme le miroir de leur âme inconsolable et pourtant radieuse. Elles s'éteignirent sans doute un de ces matins pâles qui semblent prolonger les lueurs dont s'éclairent nos songes, et mourut aussi la servante Sarah », peut-on lire dans *Le Magasin pittoresque* en 1901, à la belle époque où le style religieux se pare des plumes du symbolisme. Ce sont ces deux Marie dont le roi René fera, en 1448, rechercher les reliques. On découvrit alors, de chaque côté de « l'autel » de l'église, deux corps allongés « dégageant une odeur suave ». Les ossements furent pieusement lavés dans du vin blanc et placés dans une châsse qu'on éleva dans la chapelle dite de Saint-Michel.

1. On écrit Sarah pour le personnage biblique, Sara pour la patronne des gitans.

Ainsi se fonda le culte des Saintes-Maries-de-la-Mer, but d'un pèlerinage bisannuel en l'honneur de Marie-Jacobé, le 25 mai, et de Marie-Salomé, le 22 octobre. Plus tard, et de nos jours encore, sous la pression du tourisme religieux, la manifestation du 25 mai prendra le pas sur celle du 22 octobre, mêlant le rituel d'une procession avec immersion dans la mer de la barque des saintes et la fête des tsiganes et gitans qui ont pris la servante Sara pour patronne.

Les autres compagnons de Madeleine abandonnèrent donc les deux Marie à leur solitude pénitentielle et se dispersèrent pour évangéliser la région. La tradition provençale abandonne à son tour Sidoine mais elle suit avec intérêt le cheminement de Maximin et de Lazare. Le premier, dit-elle, se rendit à Aix où il enseigna la foule avec tant de conviction qu'il en devint l'évêque. Quant au second, il gagna Marseille où nous le retrouverons avec Marie Madeleine. La légende est plus prolixe quant à Marthe dont elle nous assure qu'elle se rendit à Tarascon pour y chasser la Bête, ou la Tarasque, monstre symbolisant le paganisme et qui infestait alors les rives du Rhône. Cette belle histoire s'appuie en partie sur un texte apocryphe, connu sous le titre de *Pseudo-Marcelle* (cette Marcelle passant pour la servante de Marthe). On y apprend que la sainte, voulant attester de la supériorité de son dieu sur ceux des Romains, entreprit de vaincre l'animal mi-terrestre mi-aquatique qui terrorisait la région. « Elle lui jeta de l'eau bénite qu'elle avait emportée et lui montra une croix de bois. Le dragon vaincu devint comme un agneau ; elle le lia de sa ceinture et le peuple le déchiqueta sur-le-champ à coups de lances et de pierres[1]. »

---

1. Cité par Louis Dumont, *La Tarasque,* Gallimard, 1951.

Raban Maur rapporte à son tour que sainte Marthe « ayant converti à la foi tout le peuple de Tarascon, se fixa en ce lieu et s'y fit construire une maison de prière, où elle vécut jusqu'à sa mort, et dans laquelle elle fut inhumée ». Il ajoute que l'on pouvait visiter ce tombeau, source de guérisons miraculeuses : « Depuis le jour de la mort de sainte Marthe, des miracles sans nombre se sont opérés dans sa basilique : des aveugles, des sourds, des paralytiques, des estropiés, des lépreux, des démoniaques et d'autres qui souffraient de divers maux y ont obtenu leur guérison. » Marthe est devenue naturellement la patronne de la ville et les fêtes de la Tarasque sont toujours là pour témoigner d'une croyance vivace en l'intervention de la sainte. Mais une autre ville ne voulut pas laisser à Tarascon l'exclusivité de cette protection : Avignon, à son tour, revendiquera la présence de Marthe sur son territoire, et plus précisément dans une grotte située dans le cloître de l'église métropolitaine et convertie en chapelle. La ville lui accorda en plus la construction, sur le rocher des Doms, d'une église dédiée à la Vierge.

Avant d'en venir à la geste de Marie Madeleine, proposée par la tradition provençale, il convient d'apporter quelque réflexion critique sur l'authenticité du récit. En réalité, « Maximin et Sidoine furent des saints d'Auvergne, ce dernier évêque et écrivain du $\text{V}^{\text{e}}$ siècle. Lazare fut évêque d'Aix au $\text{V}^{\text{e}}$ siècle. Marthe, les deux Marie et Sara furent des martyres perses du $\text{IV}^{\text{e}}$ siècle, dont les reliques furent apportées plus tard dans le sud de la Gaule » (Coulson, *op. cit.*). On voit que les dates ne correspondent en rien avec la légende dorée selon laquelle des contemporains du Christ auraient évangélisé la Provence. Bien que l'histoire de la christianisation de la région laisse encore de grandes lacunes, de véritables trous noirs de la mémoire, il est aujourd'hui assuré que celle-ci n'est attestée qu'à partir du IIIe siècle. Mieux encore, le premier document permettant d'entrevoir avec quelque clarté les débuts de cet apostolat date de 314 : c'est le compte rendu d'un concile tenu à Arles et donnant la liste des évêques de Marseille, Vienne, Vaison, Orange, Apt et Nice. Si cette liste prouve une implantation plus tardive dans une grande partie de la future Provence, elle ne justifie en rien une évangélisation au Ier siècle [1]. Celle-ci demeure difficile à dater. Selon les historiens modernes [2] « pour Vienne, qui n'est pas en Provence, il suffira de rappeler la célèbre lettre adressée en 177 aux Églises d'Asie par les communautés de Vienne et de Lyon alors en butte à la persécution ; elle atteste à cette date l'existence d'une Église, même embryonnaire. Mais pour Marseille, rien de sûr avant 314. Et pour Arles, un seul témoignage fourni par Cyprien de Carthage : au hasard de sa correspondance, il nous livre, en 353, le nom d'un évêque, Marcianus. Nous voici donc renvoyés au plus tard au milieu du IIIe siècle car rien n'indique que Marcianus soit le premier évêque de la cité. Au contraire, dès le début du Ve siècle, les Arlésiens avançaient un autre nom pour le fondateur de leur Église, celui de Trophime. Une personnalité qu'ils ont vite rattachée à l'âge apostolique, mais que Grégoire de Tours, dans son *Histoire des Francs,* faisait compagnon de Saturnin de Toulouse et de cinq autres fondateurs d'Églises vers 250 ».

Il reste que la christianisation de la Provence s'est bien faite à partir du littoral marseillais et qu'elle a gagné successivement la vallée du Rhône et l'arrière-pays

---

1. Voir J.-P. Clébert, *Provence antique,* tome 3, « Au temps des premiers chrétiens », Laffont, 1992.
2. Jean Guyon, « La fin de la Provence antique », in *La Provence des origines à l'an mil,* Ouest-France, 1989.

au-delà de la Sainte-Baume. On remarquera qu'à rebours de la colonisation romaine empruntant la voie domitienne de Milan à Arles par Apt ou la voie aurélienne partant de Fréjus pour passer au nord de Saint-Maximin, l'apostolat chrétien a progressé d'ouest en est. En témoignent les premiers monuments chrétiens authentifiés, soit les inscriptions funéraires de l'abbaye de Saint-Victor de Marseille, et le sarcophage de Syagria à Brignoles. Auxquels on peut ajouter, sur le chemin même qu'empruntera Marie Madeleine, la dédicace (perdue) d'Eunoetus à Aubagne.

Chapitre II

# UN ITINÉRAIRE INITIATIQUE

## *Marie Madeleine à Marseille et à Aix*

La tradition provençale nous dit que Marie Madeleine accompagna d'abord Lazare à Marseille. Sans doute pressés de quitter ce désert où ils ne pouvaient prêcher, ils s'aventurèrent au-delà de cette terre inhabitée, *de palun en palun caminan à l'asard* (cheminant au hasard de marais en marais) comme le chantera Mistral. C'est à Arles qu'ils se séparèrent de Marthe. On ne sait pourquoi cette ville déjà importante fut négligée par ces apôtres, ni pour quelle raison Lazare et Madeleine choisirent Marseille. Probablement la cité déjà ancienne et fondée par les Grecs leur était connue de réputation comme une métropole cosmopolite où se mêlaient non seulement les ethnies mais les dieux romains et indigènes. Un terreau fertile pour leur prédication.

Selon une autre histoire légendaire, dont la tradition provençale des saintes Maries ne tient pas compte, un autre contemporain du Christ, l'apôtre Paul lui-même, aurait le premier évangélisé la ville. C'est ce que croyait encore Renan quand il écrivait en 1861 : « Il n'est pas impossible que quelque port du midi de la Gaule ait reçu l'empreinte du pied de l'apôtre. Une ville comme

Marseille, avec son milieu de culture hellénique et sa colonie d'Orientaux, devait tenter son apostolat. Si donc l'on tient pour avéré le voyage d'Espagne, on peut également tenir pour certain que Paul a jeté la bonne parole dans une synagogue ou sur une place publique de Marseille. » En Provence, cette légende s'est peu à peu effacée comme les pas sur le sable, et la nouvelle vague de l'apparition de Lazare et de Madeleine en ce lieu est venue la recouvrir.

À Marseille, donc, Lazare choisit pour sa retraite érémitique une carrière à ciel ouvert, mais prolongée par des galeries creusées dans les rochers de la rive méridionale du Lacydon. Un autre désert que l'antique Massalia, perchée sur la colline d'en face, ignorait encore et que seuls fréquentaient des pêcheurs à la palangrote et des cueilleurs d'oursins. Les premiers sans doute à accepter cet étranger qui maîtrisait mal leur langue mais parlait bien.

Ce haut lieu de la mystique paléochrétienne deviendra la crypte de Saint-Victor. Pour lors, il n'y avait là qu'une vieille nécropole païenne avec des sarcophages en marbre que les rares riverains venaient piller et casser pour en faire de la chaux. « C'est là, disent nos bollandistes, que Lazare se cachait avec ses néophytes, pendant la persécution, pour les exercices de la religion. On y voit, à gauche de l'autel [de la future église du IVe siècle], un siège de pierre taillé dans le roc et qu'on vénère comme ayant servi à Lazare dans l'administration des sacrements. Au-dessus se dessine une figure grossière qui semble remonter au VIe siècle et représente Lazare avec la palme du martyr et le bâton pastoral. On voit aussi, dans la voûte, l'alpha et l'omega qu'on retrouve dans les catacombes de Rome. L'apôtre de Marseille ayant été enterré dans cette crypte, sa sépulture a rendu ce lieu cher aux Marseillais et a donné naissance au cimetière souterrain qui s'y est formé depuis[1] ».

La réputation du lieu doit autant au passage supposé de Lazare qu'au séjour d'un autre « paléochrétien », saint Victor, légionnaire romain en poste à Marseille au temps des persécutions de l'empereur Maximien contre les chrétiens dans les toutes premières années du IVe siècle. Ce militaire, malgré son appartenance à la noblesse sénatoriale, n'échappa pas à la vindicte impériale qui ne pouvait supporter de compter dans les rangs de ses soldats un converti à la nouvelle foi. Victor fut arrêté, torturé et mis à mort. Ses compagnons l'ensevelirent dans cette nécropole qui prit son nom.

Un autre personnage confortera la sacralisation de ce haut lieu : Jean Cassien, que l'on retrouvera dans la Sainte-Baume, comme fondateur problématique des premiers établissements religieux de cette montagne. C'est au début du Ve siècle qu'il débarque à Marseille. Né dans la région orientale de la Roumanie actuelle, ce moine avait connu pendant quelque vingt ans les solitudes des déserts égyptiens. Mais il s'était contenté des cellules des communautés de cénobites de Nitrie, au sud d'Alexandrie, sans aller plus loin vers les thébaïdes des solitaires. Son choix le portait déjà vers la vie religieuse en groupe plutôt que vers celle des ermites et des anachorètes dont il redoutait les excès d'extravagances et d'excentricité auxquels se livraient ces « athlètes de Dieu » comme les appelle Jacques Lacarrière. Dans cet état d'esprit, il arriva en 416 à Marseille dont il contribua singulièrement à modifier la vie monastique. Son premier soin fut d'y fonder deux communautés de religieux, l'une pour les hommes, l'autre pour les femmes, toutes deux à l'image de celles qu'il avait visitées en Orient.

---

1. *Op. cit.*, p. 6.

Pour la première, celle des hommes, il choisit naturellement un site qui convînt à la solitude et à la méditation : cette rive gauche du Lacydon encore abandonnée aux arapèdes. Dans la nécropole rupestre où reposaient les restes de saint Victor, il déposa des reliques que lui avait confiées Jean Chrysostome à Constantinople, parmi lesquelles celles de sainte Anne qu'il offrira plus tard à l'église d'Apt. Puis il entreprit de construire là le premier édifice, simple chapelle connue ensuite sous le nom de Notre-Dame-de-Confession. Au monastère de Saint-Victor s'empressèrent, dès 420, de nombreux moines, anachorètes qui s'enfermaient dans une cellule agrémentée d'un petit jardin clos dont ils ne devaient plus jamais sortir. Habillés comme les cénobites d'Égypte, ils marchaient pieds nus et s'astreignaient à une discipline sévère. Celle-là même qui présidera à la conduite des premiers moines cassianites de la Sainte-Baume.

Quant aux femmes, Cassien jugea bon de les éloigner de la solitude du désert pour les enfermer au cœur de la ville, sur la rive droite cette fois, surpeuplée. Exactement à l'emplacement de la place de Lenche, l'antique agora des Massaliotes. Il n'en reste rien. Mais la légende, encore une fois, s'empara très vite de ce nouveau haut lieu. Les caves de cette abbaye furent baptisées « prison de saint Lazare » dans le même temps que, de l'autre côté du « vieux port », la grotte de Saint-Victor prenait le nom de Saint-Lazare.

Évidemment, aucun de ces établissements n'existait encore quand Marie Madeleine, selon la tradition provençale, rejoignit Lazare à Marseille. Et l'on ne sait pas grand-chose de l'endroit où elle s'installa pour évangéliser la foule. Sûrement pas sur la rive méridionale où ne résidaient que les moines de Saint-Victor. Pourtant, à la fin du XV^e^ siècle, un tableau anonyme conservé au musée du Vieux-Marseille et consacré à la prédication de Madeleine représente celle-ci au bord du Lacydon, à l'emplacement du futur quai de Rive-Neuve. À la même époque (1474) le pèlerin allemand Waltheym, qui nous laissera un récit détaillé de son voyage dans la Sainte-Baume [1] (nous le verrons plus loin), dit que « dans cette même église [Saint-Victor], sous la terre, il y a une grotte ou caverne où Marie Madeleine a passé les sept premières années de sa pénitence. Là, elle a mangé et bu. Et elle y est restée jusqu'à ce que Dieu la conduise à la Sainte-Baume ». Et il ajoute : « Non loin du monastère, quand on va vers la ville, il y a un mur sur lequel se tenait Marie Madeleine quand elle prêchait. » Waltheym se trompe. Il est d'ailleurs contredit par un autre voyageur allemand qui signale dans sa relation de voyage (1495) qu'il visite le lieu de la prédication, en le situant près de la Major, ce qui nous ramène aux environs de la place de Lenche.

Un auteur plus ancien, Jehan Real, dit à sa façon que « Marie Madeleine et Lazare logeaient pauvrement sous un porche qui était devant un temple de la gent de cette terre. Et quand la dévote Madeleine vit la gent assemblée en ce temple pour sacrifier aux idoles, elle se leva paisiblement, à face joyeuse, à langue diserte et bien parlant, et commença à prêcher Jésus-Christ et à arracher ladite gent du cultivement des idoles. Et lors furent tous émerveillés de la beauté, de la raison et du beau parler d'icelle ». Ce porche ne peut être que le portique du temple de Diane, remplaçant celui d'Artémis fondé par les Phocéens. Ce lieu, longtemps marqué par une petite chapelle, était situé au carrefour actuel des Treize-Coins, entre les futurs bâtiments de la Major et ceux de l'ancien Évêché. Et ce n'est pas fortuit si Marie Madeleine prend traditionnellement la place de la Diane antique dont

1. Voir plus loin, p. 103.

les avatars successifs ont pris les visages de l'Artémis grecque, la fécondatrice multimammaire, comme celui de la Belle-de-Mai, exposée aux carrefours, les jupes relevées pour recevoir dans son tablier les oboles des passants.

Quand le culte de la Madeleine sera bien implanté en Provence, on accordera à la sainte d'autres lieux marseillais qu'elle aurait sanctifiés de sa présence. C'est ainsi que l'on prétend qu'elle se réfugia aux Aygalades, à deux lieues du centre de la ville, dans une grotte qui porta son nom. Au XVII<sup>e</sup> siècle, un carme, qui passa deux ans au monastère de ce lieu, Pierre de Saint-Louis, écrira à son propos un poème intitulé *Madeleine au désert*.

Sa prédication marseillaise heureusement terminée, Marie Madeleine aurait gagné Aix. Le fait est attesté, assez tardivement, par une lettre de Gui de Fos (XIII<sup>e</sup> siècle) qui prétend que « saint Maximin et la bienheureuse Marie Madeleine continuèrent leur chemin vers Aix dont le peuple fit de saint Maximin son évêque ». Il précise que tous deux y moururent et y furent ensevelis et que la ville possède leurs tombeaux. Cette opinion est, à la même époque, celle de Joinville, évoquant le pèlerinage de Saint Louis à la Sainte-Baume : « Li roys s'en vint par la contée de Provence jusques à une cité que on appelle Aix en Provence, là où l'on disoit que le cors de Magdelaine gisoit. » La légende assure que Madeleine prêcha au pied d'un petit oratoire, sur l'emplacement duquel sera bâtie la cathédrale Saint-Sauveur, en laquelle elle est effectivement honorée. Quant à l'église de Sainte-Marie-Madeleine, elle ne date que du XIV<sup>e</sup> siècle.

## *Vers la Sainte-Baume*

La tradition provençale ne dit pas combien de temps Marie Madeleine demeura à Marseille, et encore moins à

Aix. Quelques années peut-être. Ayant accompli sa mission évangélique, elle éprouva le besoin de se réfugier dans le silence. La pénitence qu'elle exigeait d'elle-même réclamait qu'elle se retirât en quelque lieu désert pour y pleurer sur ses péchés et ne plus converser qu'avec son Maître. Elle rechercha donc un endroit éloigné des hommes et du monde où plus rien ne la distrairait de l'exercice de sa foi. Nous reviendrons sur cet abandon de la parole pour le silence, de la prédication des foules pour le dialogue intérieur. Elle quitta donc Marseille (ou Aix) pour s'enfoncer dans l'arrière-pays.

La tradition insiste sur un point crucial : lorsqu'elle parvint au pied de la Sainte-Baume, que nul sentier ne traversait, qu'un très dense fourré protégeait des incursions humaines, ce furent les anges qui la prirent sous leurs ailes et la transportèrent miraculeusement au bord de la falaise et de la grotte qui devait lui servir de retraite définitive. Lacordaire – qui sera l'un des plus ardents défenseurs du culte magdalénien – dira à ce propos : « Dieu qui a tout créé en vue de l'avenir, et qui n'a pas dessiné un rivage, élevé une montagne, creusé une mer sans savoir pour quel peuple ou pour quelle âme il travaillait, Dieu, dans sa création, avait pensé à Madeleine et lui avait fait, en un coin de terre, un asile exprès : la Sainte-Baume. »

Reste à préciser l'itinéraire qu'elle suivit pour parvenir au pied de la montagne et au lieu révélateur. Si l'on suppose avéré son séjour à Aix, Marie Madeleine dut emprunter d'abord la voie romaine, dite aurélienne, qui permettait aux légions romaines de relier Milan à Arles par Fréjus et le littoral. Cette antique voie hérakléenne – que le héros grec avait parcourue d'ouest en est à son retour de son expédition au jardin des Hespérides et sur le tracé d'un très vieux chemin préhistorique – suivait la vallée séparant le massif de la Sainte-Victoire de celui de la Sainte-Baume. Épousant à peu près le tracé de la route nationale moderne, elle passait aux environs de Château-neuf-le-Rouge, Rousset, Pourcieux et Saint-Maximin. Au-delà, elle traversait Brignoles où fut découvert le sarcophage dit de la Gayole, premier témoignage de l'implantation du christianisme en Provence intérieure. Mais pour gagner la Sainte-Baume, Madeleine dut quitter très vite cette route pour un chemin qui, par Auriol, rejoignait Marseille. Selon cet itinéraire, c'est donc à Auriol qu'elle aurait découvert la montagne encore anonyme.

Plus légendairement parlant, si l'on ose dire, il faut croire qu'elle partit de la cité phocéenne et remonta la vallée de l'Huveaune par Aubagne, Roquevaire, Auriol, Saint-Zacharie... suivant la voie romaine qui reliait Marseille à la voie aurélienne qu'elle rejoignait à Tourves, entre Saint-Maximin et Brignoles.

## *La vallée de l'Huveaune*

L'Huveaune[1], ce « petit fleuve marseillais », prend sa source – ou plutôt ses sources – au sud de Nans-les-Pins, sur le piémont septentrional de la Sainte-Baume, au cœur de ce château d'eau naturel. Elle descend vers Saint-Zacharie où elle s'incurve vers l'ouest pour se jeter dans la mer, à l'est du vieux Marseille. Remontant son cours, la route qui la longeait était la principale voie de pénétration des Marseillais vers l'arrière-pays et la seule issue entre les chaînes de l'Étoile et de la Sainte-Baume. Au temps de Marie Madeleine, c'est-à-dire au milieu du Ier siècle, la colonisation romaine se manifestait dans la vallée par l'implantation d'un habitat dispersé. Les terres

1. L'Huveaune, *Eveuno,* est féminin en provençal.

fertiles étaient distribuées à des vétérans retraités qui y construisaient des villas et des mas (au sens antique de ces termes) « qu'ils embellissaient selon leur fortune et leur bon goût » (Garcin [1]). Mais les gros bourgs manquaient encore. Aubagne (Albania) n'est cité qu'au x$^{e}$ siècle comme un simple village, relais d'étape sur la route de Marseille à Toulon. Roquevaire (Rocavaria) n'est mentionné qu'au XII$^{e}$ siècle comme établi sur les deux rives de l'Huveaune, à l'entrée des gorges de Saint-Vincent. Auriol, en revanche, avait été une étape commerciale d'une relative importance au temps des Grecs : on y a retrouvé un trésor d'oboles d'origine ionienne (v$^{e}$ siècle avant notre ère).

Saint-Zacharie naîtra plus tard de la fusion de trois bourgs : Saint-Victor, Orgnon et Rastoin. Le nom de Saint-Victor suggère une implantation des moines marseillais. Mais le lieu nous a d'abord laissé le témoignage d'une religion plus ancienne, une dédicace latine aux *Matres Ubelcae,* dans le nom desquelles on s'accorde à reconnaître celui de l'Huveaune. À la fin du XVIII$^{e}$ siècle, l'historien provençal Papon [2] ne manquera pas d'en décortiquer les racines : selon lui, le terme « paraît venir des mots celtiques, *ub,* exclamation qui marque la crainte, *elk,* qui signifie mauvais. Il s'ensuit qu'il y avait à Saint-Zacharie un temple où l'on offrait des sacrifices aux mauvaises déesses pour les apaiser. C'étaient des divinités champêtres qu'on représentait avec des fleurs et des fruits et une corne d'abondance. Elles étaient redoutables, dit-on, aux gens des campagnes qu'elles effrayaient de leurs apparitions. »

---

1. E. Garcin, *Dictionnaire historique et topographique de la Provence ancienne et moderne,* 1835, réimpression Chantemerle, Nyons, 1972.
2. *Histoire générale de Provence,* 4 vol., Paris MXXLXXVI.

Dans son délire d'interprétation, Papon rejoint inconsciemment les auteurs antiques décrivant – comme on le verra – les simulacres indigènes ou statues de dieux informes de la Sainte-Baume qui terrorisaient les soldats romains. Ces divinités des sources personnifiaient en tout cas cette Huveaune que l'on a dit naître des larmes de Marie Madeleine. Leur présence ici atteste encore cet éternel recouvrement des dieux et des saints auquel la religion chrétienne n'a pas échappé : sous le nom de Matres, se distinguent déjà les Maries, généralement groupées par trois. Le christianisme, en ses débuts provençaux, les réunit en une seule Mère (ou Marie), connue sous le vocable de Notre-Dame-de-l'Huveaune. C'est à elle que sera dédiée au XIII^e siècle une église fondée à l'embouchure du fleuve, à l'angle de notre Prado et de la Corniche. En ce temps-là, le lieu était quasi désert, envahi par les marais de Saint-Giniez que les moines assécheront et mettront en culture.

À l'époque présumée de Madeleine, cette embouchure de l'Huveaune se trouvait loin de la ville phocéenne, de l'autre côté de la colline inhabitée où se dressera plus tard Notre-Dame-de-la-Garde. À la fin du XV^e siècle, selon le pèlerin allemand Waltheym, les chemins menant à la vallée de l'Huveaune partaient de deux portes principales de l'enceinte : celle du Marché (ou porte Saint-Louis) et celle du Lauret (devenue porte Réale). Au XIX^e siècle encore, les Marseillais empruntaient l'ancien *chemin de la Madeleine* (l'actuel boulevard de la Madeleine, prolongé par l'avenue des Chartreux) pour gagner les cabanons et les guinguettes.

La rencontre avec l'Huveaune dut être déterminante. Comment ne pas avoir envie de quitter cette côte rocheuse qui semble avoir la pelade ? Marie Madeleine ne résista pas au charme de cette rivière dont le cours déjà gros attestait d'un long cheminement depuis l'inconnu du haut pays : de tout temps, les explorateurs se sont obstinés d'abord à remonter les fleuves pour en découvrir les sources, sur quoi se fondait leur géographie. Peut-on dire que cette vallée attirait Madeleine ? Curieusement, c'est ce « chemin de Provence » que suivra Marcel Pagnol enfant en route vers le Garlaban. Un chemin sinueux entre les murs de pierre sèche, dans les vergers de figuiers et d'oliviers centenaires, entre les pinèdes bruissantes de cigales d'où s'envolait la bartavelle, cette perdrix mythique... Les mas traversés n'avaient pas de nom : ils prendront ceux de Saint-Loup, la Valbarelle, la Pomme, la Treille, la Barasse... et, plus loin, Aubagne. Là, Madeleine dut hésiter. Au levant de la route s'élève la montagne qu'inconsciemment elle désire. Un sentier, une piste, semble y mener tout droit par un vallon qui portera le nom de saint Pons, martyr niçois du IIIe siècle. À partir du bourg de Gémenos, le vallon est magnifique, trop beau peut-être pour un désert érémitique. C'est pourtant dans ce jardin édénique que s'installeront moines et moniales. Une première chapelle dédiée à saint Martin y date du XIe siècle. Plus loin, l'abbaye des femmes sera occupée par des cisterciennes de 1205 à 1417, dans un environnement exceptionnel d'arbres gigantesques, un paysage de paradis retrouvé. Mais le vallon de Saint-Pons est au bout du monde, un cul-de-sac qui se heurte à la barrière rocheuse. Au-delà, c'est le chaos vertical, sauvage et inhabité. Est-ce un tel champ d'action que cherche la prédicatrice ? Sûrement pas. Non, c'est l'Huveaune qui l'attire. Il y a chez Madeleine un fantasme de l'eau qui coule, le parfum versé, le lavement des pieds, l'abondance de ses larmes, et jusqu'à son séjour dans l'antre pleureur de la grotte, comme on le reverra tout à l'heure à propos de cette nouvelle Ophélie.

Elle poursuit donc sa route tracée par la rivière. Quittant la vaste plaine verdoyante et fertile qui s'étend entre le Garlaban et la Sainte-Baume, elle pénètre dans la vallée qui se resserre. Recourons encore au style romantique des hagiographes : « Entre Roquevaire et Auriol, l'Huveaune, dans son couloir de verdure, répand encore en chantant les grâces de la végétation. Mais au sortir d'Auriol, nous laissons la verte vallée et, cessant de contourner plus longtemps l'obstacle, nous entrons dans le vif de la montagne et nous voici aux premiers escarpements de la Sainte-Baume. La route monte entre des bois de pins, puis apparaissent des terres nues, ravagées par le soleil et les incendies. Dure ascèse, morne paysage, si, au tournant de la route, la vue soudain dégagée ne s'étendait sur un jeu étonnamment parfait de lignes parfaitement pures… La fraîcheur d'une vie nouvelle nous saisit quand nous apercevons, entre les pins, les premiers chalets du Plan-d'Aups. Et nous voici devant ce que nous avions rêvé. Une ligne rocheuse court devant nous, comme pressée entre le ciel qui l'illumine et la forêt qui pousse contre elle des vagues d'ombre… » (André-Vincent [1]).

C'est la première vision que Madeleine a de la Sainte-Baume. Et il faut entendre vision aux deux sens du terme : aperçu visuel et révélation. On ne sait à quel endroit de l'Huveaune elle découvrit ce décor idéal pour une retraite inspirée : cette sombre forêt au pied d'une longue falaise rocheuse à l'à-pic vertigineux. Je dis décor parce que cette première approche de la montagne magique annonce les paysages fantastiques de la peinture mystique, arrière-plan symbolique du théâtre de la foi.

1. Ph. André-Vincent, *La Sainte-Baume,* Laffont, 1950.

Si l'on ne connaît pas le lieu de la révélation, on devine, toujours à travers la tradition provençale, que c'est au pied de la montagne que fut prise sa grande décision : renoncer au monde et se retirer au désert, abandonner l'éloquence de la prédication pour le silence de la prière.

## *Un bois sacré*

Un poète latin, Lucain, contemporain de ces événements légendaires puisque né en 39 et mort en 65, écrit en sa *Pharsale*. « Il y avait un bois sacré qui, depuis un âge très reculé, n'avait jamais été profané et entourait de ses rameaux entrelacés un air ténébreux et des ombres glacées, impénétrables au soleil. Il n'est point occupé par les Pans, habitants des campagnes, les Sylvains, maîtres des forêts, ou les Nymphes, mais par les sanctuaires de dieux aux cultes barbares ; des autels se dressent sur des tertres sinistres et tous les arbres sont purifiés par du sang humain. S'il faut en croire l'Antiquité admiratrice des êtres célestes, les oiseaux craignent de percher sur les branches de ce bois et les bêtes sauvages de coucher dans ses repaires, le vent ne s'abat pas sur ses futaies, ni la foudre qui jaillit des sombres nuages. Ces arbres, qui n'offrent leur feuillage à aucune brise, inspirent une horreur toute particulière. Une eau abondante tombe des sources noires, et de tristes statues de dieux, informes, se dressent sans art sur des troncs coupés. La moisissure même et la pâleur qui apparaît sur ces arbres pourris frappent de stupeur... Les peuples n'approchent pas de ce lieu pour y rendre leur culte ; ils l'ont cédé aux dieux. Que Phébus soit au milieu de sa course ou qu'une nuit sombre occupe le ciel, le prêtre lui-même en redoute l'accès et craint de surprendre le maître de ce bois. »

Lucain commet quelques erreurs, quant à l'absence d'oiseaux et de fauves, par exemple, ou à celle du vent qui fige la Sainte-Baume en une impressionnante immobilité silencieuse. Mais cette description particulièrement *sombre,* que l'on retrouvera dans la littérature romantique, suggère assez bien l'étrangeté de ce haut lieu. Nous voilà bien au cœur d'un de ces « trous noirs », insolite en cette galaxie lumineuse et ensoleillée de la Provence (encore ligure et non gauloise). Ces dieux de bois, que le pourrissement naturel n'a pu préserver de la mort, n'ont jamais été retrouvés. On imagine seulement qu'ils ressemblaient à ces curieuses figures votives retrouvées aux sources de la Seine et que les détracteurs du paganisme ont réduites au statut d'idoles grossières. Devant ces troncs d'arbres à peine équarris à grands coups de serpe, pour souligner leur silhouette anthropomorphique, ces *simulacres* comme les appellent les écrivains latins qui, malgré la tolérance de leur panthéon, n'acceptent pas ces dieux étrangers, on comprend la terreur des Romains habitués à des divinités plus humaines. Qui plus est, ces idoles ligures n'ont pas de nom et Lucain note que « tant ajoute à la terreur de ne pas connaître les dieux que l'on craint ».

Que des sacrifices humains aient été ici accomplis n'est pas pour surprendre quand on regarde la statuaire sanglante ornée de têtes coupées des sanctuaires ligures tout proches du pays aixois, d'Entremont et de Roquepertuse. L'imagination avait beau jeu de multiplier en ce lieu isolé les monstres androphages. Errant au milieu de ces futaies nordiques, on bute sans cesse sur des chaos rocheux formant, comme au Canapé, des dolmens naturels que vénérèrent jusqu'en Provence les fidèles de la religion mégalithique. Au sommet des arbres, et des chênes particulièrement, s'accrochent des nids de gui, propices à une imagerie populaire : les druides se mettent eux aussi à errer, la serpe d'or à la main, tandis que les druidesses, nues sous leur chevelure comme le sera Marie Madeleine, prophétisent et vaticinent. Une tradition tenace fait état d'une gravure pariétale piquetée dans la falaise verticale, juste en dessous de la grotte de Madeleine, en un endroit inaccessible sinon à l'aide d'une échelle de lianes savamment tressées. Elle représenterait le visage archaïque de l'une de ces druidesses, vénérée dans la légende sous le nom de Notre-Dame-des-Contours.

La préhistoire de la Sainte-Baume est encore mal connue. L'officielle réserve qu'elle englobe ralentit les fouilles. On n'étudie guère que les oppida de son flanc oriental, ceux de Meyrarguette, de Castéou Panier, de Châteauroux, de Châteauvieux, accessibles au nord de Signes. On sait ainsi que les civilisations anciennes y furent vivaces. Le massif fait partie des stations *magdaléniennes* de la Provence rhodanienne : la rencontre de ce vocable est fortuit mais symbolique. Le terme de magdalénien, qui désigne un âge avancé du paléolithique, correspondant à celui du renne – encore que cet animal n'ait jamais pénétré dans la Sainte-Baume –, tire son nom de la grotte de la Madeleine à Tursac, dans la Dordogne. Poètes et dévots verront là un clin d'œil de la Providence.

Mais le sol même de la grotte de Marie Madeleine n'a rien pu révéler. Il faut encore ici recourir au fabuleux. Au bord du Saint-Pilon, sur la crête de la falaise, on a découvert plusieurs entailles en forme de fer à cheval. Elles seraient, dit-on, les traces des sabots des montures de deux pèlerins florentins, égarés là par une nuit d'orage et sauvés *in extremis* d'une chute dans l'abîme par l'intercession de la sainte. Ces signes, grands comme la main, se retrouvent en divers endroits de la montagne, sur les parois rocheuses et jusque sur les murs récents (XVII^e^ siècle) de la chapelle des Parisiens, sur le chemin de la Grotte. On reconnaît ces

« contours », plus nombreux encore, sur les rebords de l'escalier qui mène à la crypte de la basilique de Saint-Maximin. Ils ne sont accompagnés d'aucune autre figure. Moins qu'à des fers à cheval (signes compagnonniques des maréchaux-ferrants), ils font penser à d'autres signes gravés sur le site protohistorique du Castellet, près de Fontvieille, autour des hypogées funéraires, et identifiés comme des symboles de fécondité (vulves schématisées). Ce dessin particulier évoque non seulement le sexe féminin, mais aussi l'entrée de la grotte, et a sans doute contribué à l'implantation des rites de fécondité que nous évoquerons plus loin à propos du folklore de la Sainte-Baume.

## *La forêt protégée*

Le texte de Lucain reflète aussi la terreur qu'exerçait le massif de la Sainte-Baume sur les esprits crédules. César, voulant y faire abattre les arbres nécessaires à la construction de sa flotte destinée à vaincre la résistance marseillaise, eut, dit-on, le plus grand mal à persuader ses sapeurs d'y pénétrer et de porter la hache sur des troncs que les indigènes vénéraient comme des effigies sacrées.

Pourtant, pour un temps, la paix romaine calma quelque peu l'angoisse suscitée par cette forêt primitive. Les hommes du haut Moyen Âge s'y aventurèrent, contraints par la pression économique plus que poussés par la curiosité. Ils y menèrent leurs troupeaux de chèvres et de porcs, ils y ramassèrent le bois de chauffage et y taillèrent des poutres, ils y chassèrent au poste et à la battue, ils y cueillirent des simples, plantes aromatiques et médicinales, ils s'y établirent comme bûcherons, bousilleurs ou charbonniers. Dans le même temps, comme nous le verrons, des ermites, sinon des communautés de religieux, occupaient les grottes. Cette exploitation du massif n'allait pas sans risque de perturber sa nature intrinsèque de jardin édénique. Et c'est encore la religion qui le protégea des abus de la civilisation déjà polluante. Dès que la Sainte-Baume fut reconnue comme le théâtre de la pénitence de Marie Madeleine, les autorités compétentes, ecclésiastiques et royales, s'efforcèrent d'y prévenir les déprédations irréversibles. Un des premiers pèlerins venus rendre hommage à Marie Madeleine fut Saint Louis qui, en 1254, prit les premières mesures de protection du site sacralisé. Ses ordonnances éloignèrent la cognée de cet environnement symbolique. Dans les dernières années du XIII$^{e}$ siècle, le pape Boniface VIII menaça d'excommunication quiconque y porterait atteinte. En 1319, Robert, roi de Naples et de Provence, fit placer aux abords de la forêt des écussons confirmant l'interdit. À cette époque, la propriété de la forêt, et donc son exploitation, était l'objet de litiges entre les dominicains et les religieux du Plan-d'Aups. Parmi ses « monuments inédits » concernant l'histoire du culte de la Madeleine[1], l'abbé Faillon cite deux textes révélateurs de ce conflit, puisés dans les archives de Saint-Maximin :

« Les frères donnés, le commandeur et le prieur de l'aumônerie du Plan-d'Aups, se considérant toujours comme propriétaires du bois de la Baume, au détriment des dominicains à qui il avait été donné, Foulque de Pontevès, vice-sénéchal de Provence, ordonne au bailli et au juge de Saint-Maximin de réprimer ces abus. Le bailli et le juge citent le prieur ou l'aumônier du Plan-d'Aups à comparaître dans le bois de la Baume pour en déterminer les véritables bornes que ceux-ci avaient déplacées. » À son

1. *Monuments inédits sur l'apostolat de sainte Marie-Madeleine en Provence,* éditeur, Paris, 1859. L'ouvrage le plus « monumental » sur la question.

tour, le roi Robert prie l'abbé de Saint-Victor de Marseille de s'interposer pour que ses religieux du Plan-d'Aups respectent les droits des dominicains sur le bois de la Baume qui leur avait été donné autrefois et dont ils avaient joui jusqu'alors.

En 1403, Louis II d'Anjou, comte de Provence, interdit de chasser dans le massif placé sous la sauvegarde royale et défend à quiconque de s'y transporter, soit pour couper du bois, soit pour y faire pâturer du bétail, sans la permission du prieur, sous peine d'une amende de dix livres coronats dont la moitié doit être employée à payer les réparations des bâtiments de la communauté.

Au XVI^e^ siècle, ces interdits ne suffisent pas à protéger la forêt résiduelle. Les restanques déboisées et cultivées escaladent les flancs de la montagne, et des troupeaux de plus en plus importants ravagent les jeunes pousses. La chasse, bien que sévèrement réglementée, s'y intensifie. Plus encore, les bûcherons taillent la forêt sans merci. Les besoins de Marseille en bois de construction et le renouvellement des flottes marchande et militaire conduisent à des coupes claires qui entraînent la dégradation du sol en favorisant les ravinements et les éboulements. Sans compter la présence scandaleuse de ces charbonniers mécréants dont les jurons virils épouvante le fantôme de Marie Madeleine et choquent les religieux voués au silence et à la contemplation. La situation est telle qu'en 1538 François I^er^ se voit obligé de renouveler « à son de trompe et cri publique » les interdits royaux de déboisement et de pâturage. En vérité, ces édits sont moins soucieux d'écologie que de préserver les droits des religieux de Saint-Maximin et du Plan-d'Aups. Officiellement, c'est par respect pour la grotte de Marie Madeleine que Charles IX interdit, en 1564, aux capitaines de galères et de vaisseaux de faire couper du bois dans la Sainte-Baume et fait « à l'entrée du dit bois apposer panonceaux et bâtons royaux à ce que nul n'en puisse prétendre cause d'ignorance». Ce roi renouvellera ce défens en 1576, précisant qu'il fallait laisser cette forêt intacte «pour la décoration du lieu» (d'après Faillon).

## *Histoire naturelle*

La Sainte-Baume tire son nom du vocable provençal *baumo* qui, selon Mistral, désigne à la fois une grotte, un aven, un réservoir d'eau et une barre rocheuse. On ne saurait mieux désigner cette montagne dont les caractéristiques sont justement d'être un château d'eau, une falaise gigantesque percée de cavernes naturelles. Mais on ne peut s'empêcher d'évoquer cet autre mot provençal, baume, ou onguent dont les Marie des évangélistes ont fait un si pieux usage.

Limitée au nord-ouest et à l'ouest par la plaine de l'Huveaune depuis Saint-Zacharie, au nord-est par celle qui s'étale entre Nans et Tourves, la chaîne se termine avec plus d'indécision vers l'est par la dépression entamée par des affluents de l'Issole et du Caramy où passe la route de Brignoles à Toulon. Vers le sud, la limite est tout aussi arbitraire. Cependant, la vallée sèche entaillée dans la masse calcaire où serpente la route entre le Brigou et le Douard, la dépression de Cuges, la vallée des Fontettes, la plaine cultivée de Chibron où se forme la rivière du Gapeau, enfin le Gapeau lui-même jalonnent assez bien cette frontière qui rejoint la limite orientale par la vallée du ruisseau qui passe à Méounes.

En gros, la Sainte-Baume forme une chaîne orientée d'est en ouest (ou vice versa). Elle présente donc un versant septentrional et un versant méridional séparés par une arête centrale, et fort différents l'un de l'autre. Si l'adret est en grande partie dénudé, érodé, ne proposant vers le sommet qu'une végétation de plantes à coussinets collées au rocher et de maigres genêts, l'ubac présente une flore abondante et vivace. La geste de Marie Madeleine se déroulant tout entière sur le flanc nord, c'est à celui-ci que nous nous attarderons.

La crête de la chaîne, longue de quelque douze kilomètres et culminant à 1 000 mètres, empêche le soleil d'y darder ses rayons entre le 17 octobre et le 21 février. Plongée chaque année dans ce long hiver, la forêt forme un immense manteau sombre et humide. Protégée comme on l'a vu, elle fait figure de forêt résiduelle, de forêt relique, et semble n'avoir pas changé depuis les temps les plus anciens. Mais ce n'est pas pour autant un monde perdu où l'on trouverait des espèces disparues ou contemporaines du temps où, dans un climat de toundra, régnaient ici les ours bruns, les lynx des cavernes ou les bœufs musqués. Seulement, dans cet environnement favorable, les arbres ont pu vivre plusieurs fois centenaires et atteindre des tailles impressionnantes qu'on ne rencontre pas ailleurs. Hêtraies et chênaies rivalisent pour abriter des spécimens géants d'ifs, d'érables, de tilleuls, de sorbiers, de houx, de cerisiers et de prunelliers sauvages, qui se mêlent avec une exubérance de forêt vierge. Sous ces hautes frondaisons, que percent avec difficulté quelques rayons de soleil – pareils à ceux qui, des vitraux des églises, évoquent l'Annonciation – règne par endroits une atmosphère d'aquarium ou de fond sous-marin. Des branches pendent d'étranges lichens, comme l'usnée barbue, qui s'effilochent en chevelures touffues, voilant le tronc des arbres comme les cheveux de Madeleine sur son corps émacié. Le paysage qui précède la grotte ressemble assez à celui que Grünewald accorde à sa tentation de saint Antoine, sur le retable d'Issenheim (musée de Colmar) et décrit par Huysmans dont on regrette qu'il n'ait pas visité la

Sainte-Baume, qu'il aurait décrite en son style inimitable. Outre ces lichens démesurés, pareils à des algues flottantes, le lierre et le laurier des bois entrelacent leurs lianes noueuses. Au sol, dans une forte odeur d'humus et de champignons, s'épanouissent des fleurs rares, l'ellébore, la bétoine, la ficaire, la véronique, l'anémone et la néotténie, cette orchidée parasite qui vit sans chlorophylle. Enfin, le sceau de Salomon, cette convalaire polygonée dont la tige tombe à l'automne, laissant à son rhizome la trace cicatricielle d'une étoile à cinq branches – et dont le nom évoque le passage des compagnons dans la Sainte-Baume.

On dit que Marie Madeleine, à peine installée dans son refuge, purgea la montagne de toutes ses plantes nuisibles. Selon l'historien Papon, elle en oublia ; comme ce nerprun dont les baies parvenues à maturité purgent violemment : « Il faut, écrit-il, éviter d'en mettre dans la bouche pour juger de leur goût comme ont fait quelquefois des voyageurs qui ne les connaissaient pas. » On prétend aussi qu'à son arrivée, elle chassa du massif toutes les bêtes venimeuses qui, selon l'abbé Faillon, lui « abandonnèrent pour toujours cette solitude. Et il est certainement digne de remarque que, quoique la forêt de la Sainte-Baume soit située au milieu d'un affreux désert, jamais on ne voit d'animaux féroces ou venimeux y fixer leur demeure. Des sangliers, des serpents y prennent quelquefois leur passage, mais les bergers de cette contrée assurent encore de nos jours [1859], comme on l'assurait autrefois, que jamais on a entendu dire qu'aucun animal venimeux s'y fût établi. On rapporte aussi que la grotte, sanctifiée par la présence de sainte Marie Madeleine, a joui depuis le même temps d'un privilège semblable. Il est assuré que, quoiqu'elle soit toujours excessivement humide et que l'eau y dégoutte de toute part, on n'y voit jamais ni crapauds, ni scorpions, ni aucune sorte d'insecte venimeux, ce qui est fort remarquable dans ce pays où ces sortes d'animaux se trouvent fréquemment en des lieux semblables ». La tradition assure enfin que, dans la Grotte-aux-Œufs[1], Madeleine écrasa des œufs de vipère, ignorant dans son innocence que ces reptiles ne pondent pas. À notre époque, les savants mécréants prétendent que les serpents sont revenus dans ce saint lieu et y prouvent la présence de la vipère commune et de la couleuvre à collier. Déjà, du temps de Faillon, le romantique Joseph d'Ortigue[2] y dénonçait l'affreuse tarentule, « araignée d'une grosseur plus qu'ordinaire, marquetée des couleurs de l'arc-en-ciel ». Le pèlerin moderne pourra désormais y croiser le gros lézard vert, sans se signer, en songeant au dragon que Madeleine terrassa aussi aux abords de la falaise[3].

On se souvient que Lucain assurait déjà qu'en cette forêt interdite ne vivaient ni fauves ni oiseaux de proie. À vrai dire, si les loups et les lynx ont disparu, demeurent les sangliers, les renards, les belettes et les fouines. Buses, faucons et éperviers hantent les falaises. Et les chasseurs de papillons pourront s'émerveiller d'y trouver le Tabac d'Espagne ou le Parnassius, cousin de l'Apollon dont c'est ici l'unique station provençale.

On voit assez combien ce lieu exemplaire put apparaître aux yeux de Madeleine comme un désert, c'est-à-dire inculte, abandonné, inhabité, selon le sens premier de ce mot (le terme désert, du type saharien, dépourvu de toute végétation, n'est employé qu'au XIXe siècle). Un lieu éloigné des hommes et du monde frivole, la retraite idéale des ermites vivant et survivant entre la vie et la mort, dans cet état singulier où l'âme semble se détacher du corps. La

1. Sur la Grotte-aux-Œufs, voir p. 125.
2. J. d'Ortigue, *La Sainte-Beaume,* Paris, Renduel, 1854.
3. Voir les visions du père Élie, p. 80.

Sainte-Baume apparaît ici comme le parfait lieu de rencontre de la vie et de la mort. La nature elle-même en témoigne, comme le dit encore Joseph d'Ortigue : « C'est la réunion de toutes les forces végétales de la création, c'est le jeu bizarre de tous les produits, de tous les climats, qui se sont donné rendez-vous au même sol. Le chêne foudroyé montre ses cicatrices au-dessus d'une touffe épaisse et vigoureuse, ainsi qu'un guerrier livre avec orgueil son visage balafré et fait voir ses blessures nues. Un tronc mort et vermoulu apparaît comme une ruine vénérable, et les arbrisseaux qui l'environnent s'approchent insensiblement et resserrent toujours davantage le large espace que remplissait le géant de la forêt. Ainsi l'image de la mort se mêle aux scènes les plus vivantes de la nature. »

Lieu des métamorphoses, théâtre de l'alchimie mystique, la Sainte-Baume est prête à recevoir une autre Marie Madeleine, libérée de ses obligations apostoliques et qui, désormais, passera le reste de sa vie à espérer la délivrance de sa mort.

## *La grotte*

Au-dessus du sombre manteau de la forêt, le regard du pèlerin ne peut se détacher de l'immense barrière horizontale que forme la falaise abrupte.

D'une verticalité terrifiante – deux cents mètres de hauteur –, le mur est nu, d'un gris bleuté : heureuse transition entre le vert des arbres et le bleu du ciel. Moins qu'à un drap tendu par une lavandière géante, il évoque un rideau masquant l'inconnu, l'interdit, ce qui ne peut être vu que les yeux clos. Paysage métaphysique, dirait Giorgio de Chirico. Mais tout tableau le représentant devrait peindre son spectateur de dos – comme dans les toiles de Caspar David Friedrich –, tout entier tourné vers cette frontière du réel et de l'irréel (ou du surréel). L'été, vers trois heures de l'après-midi, il semble que l'on puisse distinguer, au centre de ce suaire déployé, la figure même du Christ que les anfractuosités du rocher s'ingénient à reproduire. Les moins dévots songent alors à l'anthropomorphisme de la peinture chinoise et aux êtres que dessine la montagne en ses replis [1].

Au pied et au centre de cette falaise s'ouvre la grotte où Marie Madeleine fut donc miraculeusement transportée par les anges. L'aménagement de cette anfractuosité naturelle transformée en lieu de culte a, au cours des siècles, singulièrement modifié son aspect originel. Parmi les plus fidèles descriptions qu'on a pu en donner figure celle du père jésuite Benoît Valuy [2]: « L'enceinte de la grotte mesure quatre-vingt-quatre pieds dans sa longueur, soixante-dix-huit dans sa largeur, et vingt-quatre dans sa hauteur et elle peut contenir environ mille personnes. Son ouverture grande, oblongue et très inégale, par sa position au nord et son enfoncement ne donne qu'un demi-jour et ne permet presque jamais aux rayons du soleil de la visiter. À l'intérieur de la grotte est une fontaine qui ne tarit point dans les plus grandes sécheresses et dont le réservoir ne déborde jamais dans les pluies les plus abondantes. De l'immense voûte l'eau distille sans cesse goutte à goutte, excepté sur un point où l'on assure que Madeleine vaquait à la contemplation et prenait son repos; c'est une roche qui s'élève de huit à dix pieds au milieu de la grotte, et qui n'a guère plus de surface. »

1. Cette figure apparaît nettement sur une photographie de Francis Jalain que j'ai reproduite dans mon ouvrage *Merveilles de Provence,* éd. de La Martinière, 1993.
2. R.P. Benoît Valuy, *Sainte Madeleine,* Lyon, 1867.

Chapitre III

---

# MARIE MADELEINE À LA SAINTE-BAUME

## *La recluse*

Vu de la grotte, le paysage est cette fois inversé. C'est la terre vue du ciel. Un point de vue qui donne d'abord le vertige. « Lorsqu'on est parvenu à la grotte, écrit le bon père Faillon, on se voit comme suspendu au milieu de ce rocher immense, et à une élévation qui fait frémir les personnes peu accoutumées à un tel spectacle. Ce rocher étant comme taillé à pic, le précipice qu'on a au-dessous, du côté de la grotte, présente un aspect affreux ; on y voit quelques arbustes qui s'y soutiennent à peine dans les fentes de la roche, des hirondelles, et en tout temps des oiseaux de proie, et, au bas, des massifs énormes de pierres qui se sont détachées de la montagne. Dans la plaine, on découvre de là une magnifique forêt, dont les arbres antiques présentent l'aspect d'une riante prairie, et l'on ne peut se figurer que cet immense tapis de verdure, qui paraît si uni, soit formé par les cimes de chênes, d'ifs, de pins, d'érables, d'une prodigieuse hauteur. Du haut du rocher, et aussi de la grotte de sainte Madeleine, on voit quelquefois cette forêt couverte de pluies et de nuées, tandis qu'on jouit soi-même d'un ciel pur et serein. » Cette dernière réflexion résume assez bien l'impression que dut avoir Madeleine devant ce paysage mental et dans cet environnement symbolique. Il ne faut pas oublier non plus que, transportée en un lieu si élevé, elle vient du plat pays qui est le sien.

Elle est confrontée à une situation nouvelle. Comme l'est lui-même l'homme du haut Moyen Âge qui, à travers la formation de cette tradition occidentale, découvre un nouvel aspect de la vie érémitique. L'anachorète n'est plus cet exilé des sables que décrit Jacques Lacarrière[1] dans les déserts d'Égypte, volontairement égaré dans un monde sans relief, face à un horizon infini, où le regard se perd dans les perspectives du vide, de quelque côté qu'il se tourne, au cœur d'une nature dépouillée de tout point de repère. S'il est toujours seul au monde, l'ermite médiéval est désormais caché dans la montagne, au creux d'une épaisse forêt. Il prend de la hauteur, dans le même temps qu'il creuse sa cellule dans la profondeur de la terre. La verticalité l'emporte sur l'horizontalité. L'horizon n'est plus la limite sans cesse reculée du désert de sable, mais le toit de feuillage ou de roche qui l'enferme. La grotte remplace le trou. Le solitaire n'affronte plus le soleil mais l'ombre. Au corps brûlé, noirci, émacié, amaigri, succède le corps blanchi, potelé même comme celui que les peintres de l'époque classique accorderont à Madeleine, pour ne pas dire boursouflé comme ceux du retable d'Issenheim. Le corps sec fait place au corps humide, et l'on sait combien Madeleine, en son antre pleureur, vivra désormais dans un milieu aquatique, glauque, ophélien. Bachelard dirait mieux que moi ce que cet autre état élémentaire provoque psychologiquement sur l'individu. Mais il va sans dire que l'homme médiéval, inventant l'histoire de Marie Madeleine recluse dans cette chambre obscure, projette ses propres

1. Jacques Lacarrière, *Les Hommes ivres de Dieu, op. cit.*

fantasmes. Et ce n'est pas par hasard si la tradition provençale prend forme à la veille des terreurs de l'an mille où chacun crut devoir se retirer du monde pour échapper au cataclysme universel, s'enfuir dans les forêts ou s'enfermer dans les cryptes des monastères [1].

En attendant son propre jugement dernier, Marie Madeleine s'installa dans la grotte. Elle ne savait pas évidemment combien de jours et d'années durerait sa pénitence. Le temps ne compte plus. Il s'est arrêté. Sans miroir, le vieillissement n'a de prise que sur le corps. D'autant que ce corps, il lui faut d'abord s'en débarrasser. Le nourrir encore, certes, car l'ermite n'est pas suicidaire, la date de sa mort ne lui appartient pas.

Sur les nourritures terrestres de Madeleine, la tradition provençale hésite, mal à l'aise. Les hagiographes eux-mêmes se contrediront. Pour les uns, elle se sustentait de racines et d'herbes sauvages qu'elle mangeait crues (on ne voit nulle part qu'elle en faisait des soupes), ou qu'elle récoltait des fruits et des baies qu'elle conservait pour les mauvais jours. Pour les autres, la pitance venait du ciel. Une manne que les anges lui apportaient chaque jour. Selon la *Légende dorée* de Jacques de Voragine, c'étaient des petits pains qui lui étaient ainsi miraculeusement octroyés : ils figurent sur le portrait que fit d'elle le peintre anversois Boetius Adam Bolswert au XVII^e^ siècle. Une nourriture tout de même insuffisante pour justifier le corps gracieusement dodu que lui prêtent la plupart des artistes [2].

Rien ne dit non plus qu'elle se livrât à des macérations particulières, ou imposât à ce corps des mortifications cruelles, ces « raffinements dans l'ascèse » que décrit

1. Voir J.-P. Clébert, *Histoire de la fin du monde*, Belfond, 1994.
2. Voir plus loin « Images de Marie Madeleine ».

Jacques Lacarrière à propos des anachorètes d'Égypte. Sa discipline sera purement spirituelle.

En fait, elle dédaigne ce corps qu'elle veut oubier. Le nier en le cachant. Quittant ce bas monde, la vallée de l'Huveaune, elle a abandonné ses vêtements. Transportée par la voie des airs jusqu'au seuil de la grotte, elle s'est dépouillée symboliquement des voiles de la pudeur, parce que celle-ci ne craignait plus rien. Elle a seulement laissé pousser ses cheveux qui la couvriront bientôt entièrement. Nous reviendrons à ces thèmes récurrents de la nudité et de la chevelure à propos de l'iconologie de Marie Madeleine[1]. Pour lors, elle prend place au cœur de la grotte, et s'allonge sur le piton central, toujours sec, que les hagiographes baptiseront la Sainte Pénitence. On verra qu'elle est presque toujours représentée couchée, le plus souvent à plat-ventre ou tournée sur le côté. Sans doute la station debout lui parut-elle empreinte d'orgueil. Couchée, face aux objets symboliques qu'on lui accordera comme attributs – le crâne, le livre et le vase d'albâtre –, elle est dans la position la plus humble pour méditer et prier. Couchée, elle est déjà plus près de la mort, gisante consentante et prête à la métamorphose à laquelle elle aspire.

## *Extases et ravissements*

Couchée, Marie Madeleine ne s'en élève pas moins vers le Ciel. La légende insiste sur ce fait exceptionnel : sept fois par jour, elle est transportée par les anges jusqu'au sommet de la falaise, au-dessus de la grotte, là où l'on bâtira le Saint-Pilon. Le lieu est caractéristique du paysage mental de la Sainte-Baume. L'endroit le plus

1. Voir p. 142.

élevé – de fort peu – du plateau qui forme la crête de ce Mont-Chauve semble d'une autre planète. Plat et nu comme la main, avec quelques poils de lichens, une peau rude pareille à un cilice, d'une blancheur maladive, veinée de bleu. Là encore, la vie et la mort paraissent se confondre. Le grandiose de l'horizon provoque à la fois l'angoisse et le bonheur indicible, le mirage et le vertige. Vu forcément par ceux qui ont inventé la légende et choisi ce « lotissement du ciel » (comme dit Cendrars [1]) pour théâtre des ravissements de Madeleine.

On a vu que le premier « transport » de la sainte a lieu au moment de son arrivée à la Sainte-Baume, quand les anges la prennent en charge pour lui faire franchir la barrière close de la forêt. Cette fois, ils l'emportent au sommet de la falaise qu'aucun humain ne peut encore atteindre à pied. Cette télétransportation est connue des mystiques sous le nom de lévitation, encore que le mot soit d'un emploi tardif et ne figure pas dans la tradition provençale. Pourtant il s'agit bien de cela : sous l'effet de l'extase, le corps est soulevé de terre sans le secours d'aucune machine, et plane quelque temps à une certaine distance du sol. Les exemples encombrent les ouvrages d'hagiographie [2]. Le plus spectaculaire est celui de sainte Thérèse qui a laissé témoignage de ses ravissements irrésistibles : « Il arrive généralement comme un choc, brusque et rapide, avant que vous puissiez rassembler vos esprits ou vous défendre d'aucune façon – vous le voyez et le sentez comme un nuage ou un aigle robuste qui s'élève vers le Ciel et vous emporte sur ses ailes. » Il ne

---

1. *Le Lotissement du ciel,* ou le roman de la lévitation, Denoël, 1949.
2. On en trouvera le recensement et l'analyse dans H. Thurston, *Les Phénomènes physiques du mysticisme,* Le Rocher, 1986.

s'agit pas, le croira-t-on ou non, d'une élévation de l'esprit arraché avec violence aux contingences physiques, mais bien d'un envol du corps au-dessus de la terre.

Les bollandistes (que Cendrars en sa nuit aixoise s'est plu à compiler et à recopier pour écrire son *Lotissement du ciel*) ont recensé 93 femmes et 112 hommes ayant dans l'histoire du christianisme bénéficié de cette extase ascensionnelle. La hauteur de leur vol ne dépasse guère quelques centimètres, voire quelques mètres. Madeleine semble dans ce domaine battre tous les records puisqu'on compte environ deux cents mètres de la grotte au Saint-Pilon. Mais elle se distingue surtout des autres télétransportés en ceci : ce sont des anges qui la soulèvent de terre et l'emportent dans les airs. Ils étaient, dit-on, au nombre de quatre. C'est du moins ainsi que les artistes ont représenté l'ascension de la sainte. L'un des sept oratoires que l'on rencontre sur la route de Nans, et que fit élever en 1516 l'archevêque d'Aix, montre Madeleine enlevée par quatre personnages ailés et vêtus en bénédictins. L'endroit où fut élevé cet oratoire marque l'emplacement où, comme on le verra plus loin, elle fut déposée, par les mêmes anges, le jour de sa mort, afin que saint Maximin l'accueillît.

La tradition nous dit encore que ces ravissements avaient lieu sept fois par jour. Le père Élie, ermite de la Sainte-Baume, qui se dit témoin visionnaire de ces extases, y ajoute sept fois par nuit. Mais il faut s'en tenir aux exercices diurnes dont la fréquence correspond à celle des heures canoniales ou heures du bréviaire qui sont laudes, prime, tierce, sexte, none, vêpres et complies. Ce qui fait toutes les deux heures pour une journée bien remplie de quatorze heures. Si l'on considère que Marie Madeleine est restée trente ans dans sa grotte, on arrive au nombre impressionnant de quelque 75 000 extases. Là encore, la sainte mérite de figurer au livre des records.

Une autre originalité des lévitations de Madeleine réside dans le fait qu'au cours de ces exercices elle ne se sépare jamais de la Sainte Ampoule, ce vase sacré dans lequel elle avait recueilli le sang du Christ et qu'elle conserva auprès d'elle tout le temps de sa vie érémitique. Ce sang s'était depuis longtemps solidifié, mais comment ne pas penser ici à la fiole de rosée qui, attachée à la ceinture de Cyrano de Bergerac, lui permit de s'élever dans les airs ?

Quand Madeleine ne lévite pas, elle pleure. Outre la prière et la méditation, c'est sa seule activité. Elle ne cesse de pleurer. Elle est comme la Sainte-Baume elle-même : un château d'eau inépuisable. Le thème magdalénien trouve écho dans la source intarissable de la grotte, de cet « antre pleureur », mais aussi dans la navigation des saintes, la plage camarguaise, les rives du Lacydon, les Aygalades marseillaises (cet autre château d'eau), Aix la ville des eaux, et l'Huveaune qui, dit-on, est née de ses pleurs. Madeleine est aussi ce vase d'albâtre qui verse le parfum liquide. On a souvent comparé ses larmes à des perles : la repentie a troqué ses bijoux mondains pour ce chapelet d'affliction. Doit-on remarquer que l'expression « pleurer comme une Madeleine » date de 1873 : c'est alors la France catholique, pécheresse et repentante, qui pleure sur les punitions qui la frappent, de la Commune à la République…

On n'a pas conservé comme relique une seule des larmes de Madeleine. Comment y parvenir d'ailleurs ? Toutefois, la tradition fait état d'une Sainte-Larme vénérée à Allouagne, près de Béthune, dans le diocèse d'Arras, et qui passe pour être tombée des yeux de Jésus. Dans le rituel de la messe dite à son intention, on peut lire : « O Larme glorieuse, Larme éclatante de splendeur, perle recueillie par un ange et donnée à Magdeleine. » Selon l'abbé Plique, auteur d'une monographie sur Allouagne et son pèlerinage, parue à Béthune vers 1875, le reliquaire contiendrait en fait une petite pierre, fragment du tombeau de Jésus, sur laquelle serait tombée cette larme, et qu'un ange aurait confiée à Marie Madeleine.

Rien, dans la tradition provençale, n'atteste que la sainte ait transporté de la Palestine à la Sainte-Baume une telle relique.

Tout « éplorée », Madeleine ne cesse de laver ses péchés avec ses larmes. Si l'eau de la source lui permet de nettoyer son corps, celle de ses yeux purifient son âme et entraîne hors d'elle ces « démons » que l'exorcisme n'a pas tous extirpés. Ainsi le péché, comme la larme, s'évapore. Celle-ci reconnue comme « goutte qui meurt en s'évaporant, après avoir témoigné : symbole de la douleur et de l'intercession [1] ».

Madeleine ne tente pas de sécher ses larmes, avec ses cheveux par exemple. Elle les laisse couler le long de son corps, jusqu'à ses pieds. Elle en est ointe, littéralement. Autre lavement rituel. Elle pleure aussi pour les péchés des autres et sur leur douleur. C'est le rôle de toute pleureuse.

## *La mort de Marie Madeleine*

Selon la tradition provençale, Madeleine atteignit le rivage de la Camargue en l'an 45 de notre ère et mourut à la Sainte-Baume le 22 juillet 75. C'est aussi précis qu'un acte d'état civil. C'est à cette date que prit fin sa retraite érémitique. Les anges, voyant l'heure suprême approcher, avertirent la recluse qu'elle ait à quitter sa grotte, à descendre dans la vallée des hommes et à se rendre à un

1. *Dictionnaire des symboles,* Laffont, 1969.

oratoire (bâti près de la voie aurélienne) où elle devait rencontrer son confesseur, Maximin, parti d'Aix et averti lui aussi par des voix mystérieuses. L'endroit du rendez-vous est encore marqué par cet oratoire, sur la route de Nans à Saint-Maximin à l'intersection du chemin de Rougiers, ce Petit-Pilon qui, de loin, évoque une bouche ouverte et, de près, décrit la lévitation de la sainte. Là, elle se prosterna devant son ancien compagnon de route, reçut de lui la communion, puis expira. Maximin fit transporter son corps jusqu'à son oratoire de Saint-Maximin et le fit embaumer avec des parfums précieux. Sur son tombeau enfin, il fit élever une magnifique basilique qui servit à Madeleine de mausolée.

En réalité, cette basilique ne sera construite qu'au XIIIe siècle. Mais restons pour l'instant dans la légende. Plusieurs versions de la mort édifiante de Marie Madeleine se recoupent autour du thème central de la lévitation : ce serait encore les anges qui l'auraient télétransportée de la grotte à l'oratoire. La logique de l'imaginaire veut en effet qu'à la fin de la vie terrestre de la solitaire la forêt conservât son caractère d'inaccessibilité. Jacques de Voragine, dans sa *Légende dorée* (au milieu du XIIIe siècle) qui prend de grandes libertés quant à l'histoire, et la tradition provençale, raconte les derniers moments de cette vie exemplaire. « Un prêtre qui voulait se vouer à la vie solitaire se prépara une cellule à douze stades de là[1]. Un jour, le Seigneur ouvrit les yeux de ce prêtre : il vit alors quatre anges qui descendaient à l'endroit où se tenait la bienheureuse Madeleine et ils l'enlevèrent dans les airs, et, au bout d'une heure, ils la rapportèrent en chantant les louanges de Dieu. Le prêtre, voulant s'assurer de la vérité de cette

1. Un peu plus de deux kilomètres.

vision, avança résolument vers l'endroit où était Madeleine. Et quand il fut à un jet de pierre, ses jambes commencèrent à trembler et le cœur lui manqua d'effroi. Et quand il voulait se retirer, il retrouvait ses forces, mais quand il faisait quelque mouvement en avant, il ne pouvait se soutenir. Il comprit que c'était un lieu saint dont l'accès était interdit aux hommes... [1] » Alors, il adjura la créature de lui dévoiler sa vraie nature. Prière à laquelle Marie Madeleine répondit en lui rapportant les circonstances qui l'avaient amenée en ce lieu perdu. Puis elle ajouta : « "Comme il m'a été révélé que je devais bientôt sortir de ce monde, va trouver Maximin et dis-lui que le lendemain du jour de Pâques, à l'heure où il a coutume de se lever, qu'il entre seul dans son oratoire et il m'y trouvera transportée par le ministère des anges" [...] Et comme le prêtre entendait sa voix, il ne voyait personne. Il alla trouver le bienheureux Maximin et lui raconta tout ce qui s'était passé. Et Maximin fut rempli de joie. À l'heure dite, entrant dans son oratoire, il y trouva la bienheureuse Madeleine entourée d'anges qui l'avaient transportée. Elle était élevée de deux coudées au-dessus de la terre et, les mains étendues, elle priait Dieu. Le visage de la sainte brillait d'un tel éclat qu'il aurait été plus facile de contempler le soleil. Et tout le clergé et le peuple étant réunis, Madeleine reçut le corps et le sang du Seigneur, en versant beaucoup de larmes. Elle rendit ensuite l'esprit, laissant derrière elle une odeur si suave que l'oratoire en resta embaumé durant sept jours. Le bienheureux Maximin fit conserver dans des aromates précieux le corps de la sainte et la fit ensevelir avec honneur, ordonnant qu'après sa mort il serait enterré près d'elle. »

---

1. J. Voragine, *Legenda Aurea,* Édition Graesse, Paris, 1846.

L'histoire du culte de Marie Madeleine nous dira ce qu'il faut retenir de cette version des faits. Mais, auparavant, il faut nous attarder sur ce Maximin...

## *Saint Maximin à Saint-Maximin*

Si, à son arrivée au pied de la Sainte-Baume, Marie Madeleine n'avait pas été arrêtée sur la route de l'évangélisation de l'arrière-pays marseillais, elle aurait atteint bientôt la plaine qui, au-delà de Rougiers, s'ouvre vers le nord, et que traversait la voie aurélienne. À l'époque qui nous occupe, soit au premier siècle, ce pays n'était encore qu'un vaste marais au milieu duquel fort peu de villas romaines avaient pu s'établir. Longtemps, cette région fut un autre désert. Plus tard, des moines entreprirent, comme ailleurs, de l'assécher et de la mettre en culture. C'est au milieu de ces terres en friche, abandonnées des hommes, que Maximin se serait retiré après avoir été, toujours selon la tradition, l'évêque d'Aix, et même le premier. On a déjà dit que ce Maximin n'a pas de réalité historique.

L'apostolat de l'ancienne *Colonia Julia Aquensis* ne date que du début du Ve siècle. Mais qu'ont à faire les historiens dans cette histoire ! La légende est plus vivace que leurs travaux et les preuves qu'ils apportent. D'autant qu'elle s'appuie sur des « monuments » qui ont la dureté de la pierre. Sous l'actuelle basilique du XIIIe siècle se trouve une crypte du IVe. Elle renferme quatre très beaux sarcophages antiques dont trois sont datés du IVe siècle et l'autre du Ve. On les attribue respectivement à Marie Madeleine, Maximin, Sidoine, et aux saintes femmes Suzanne et Marcelle. Cette crypte et ces sarcophages sont bien réels, et dûment datés avec exactitude. On sait par ailleurs qu'à partir du Ve siècle, un prieuré de cassianites assure la garde du sanctuaire construit sur les tombeaux des saints. Ces mêmes cassianites qui seront les premiers à occuper religieusement la Sainte-Baume.

Cette protection était rendue nécessaire, à cette époque, par la présence de sarrasins accusés de piller le trésor des églises et de ravir les reliques. Longtemps, les cassianites purent préserver celles-ci. Mais un jour vint où, en désespoir de cause, ils durent se décider à cacher les dépouilles des saints ascètes de Provence. Les sarrasins ne les découvrirent pas, mais les moines agirent avec tant d'efficacité qu'on faillit les perdre à jamais : en effet, non seulement ils comblèrent et ensevelirent la crypte sous une grande masse de terre, mais ils prirent soin auparavant d'échanger les sépultures. Le corps de Madeleine se trouvait à gauche, au fond de la crypte, dans le tombeau d'albâtre (en réalité, de marbre) qui l'avait recueillie à sa mort. Celui de Maximin était en face, au fond et à droite. Sidoine reposait immédiatement à droite en entrant. Enfin, un quatrième tombeau se trouvait à gauche près de l'entrée, en face de celui de Sidoine. Les moines transférèrent le corps de Madeleine dans le tombeau de Sidoine, préalablement vidé de sa dépouille. Là-dessus passèrent les siècles, « un silence de mille ans » selon l'heureuse formule de Mgr Duchesne.

Chapitre IV

# HISTOIRE D'UNE VÉNÉRATION

## *La querelle de Vézelay*

Ainsi, de longs siècles durant, les Provençaux ignorèrent-ils où se trouvait le tombeau de leur sainte pénitente. Mais ils n'étaient pas les seuls à la revendiquer pour patronne. Dans le même temps, c'est-à-dire quelques années après l'an mille, alors que se développait en Provence la tradition selon laquelle Marie Madeleine et ses compagnons avaient évangélisé la région à partir de la Camargue, les Bourguignons s'avisèrent et déclarèrent qu'ils possédaient, à Vézelay, les reliques de la sainte. La concordance des dates est frappante, et rend aussi suspectes les deux traditions.

Fondée au IX^e siècle, l'abbaye de Vézelay menait une vie tranquille et assez obscure. « La ferveur, prétend l'abbé Faillon, s'y ralentit peu à peu, et la popularité qu'on avait admirée au commencement fit place à un relâchement déplorable. » Dans les premières années du XI^e siècle, soucieux de redonner quelque lustre à leur établissement, les religieux de Vézelay firent répandre le bruit que le corps de Marie Madeleine, sœur de Lazare et de Marthe, reposait dans leur crypte. Ils confondaient ainsi sciemment la Marie de l'Évangile avec une sainte du même nom dont ils possédaient quelques ossements et une partie de la chevelure. Bien que Madeleine n'eût jamais été inscrite comme patronne de l'abbaye, la rumeur fit son effet. D'autant qu'elle se propagea dans le climat des calamités qui précédèrent l'an 1033, date fatidique annoncée pour la fin du monde (après que l'an mille eut déçu les dévots de l'apocalypse). « Une des plus cruelles famines dont l'histoire fasse mention, qui commença en 1030, désola la France pendant trois années consécutives et porta les peuples à des excès de rage et de désespoir sans exemple jusqu'alors. » (Faillon.) Ce climat eschatologique réclamait qu'on eût recours à une sainte émissaire : Marie Madeleine venait à point : pécheresse repentie, elle incarnait à la fois les fautes commises et le rachat que l'on attendait du Jugement dernier.

C'est ainsi que les pèlerins commencèrent à affluer à Vézelay, confortés dans leur nouvelle foi par l'annonce de nombreuses guérisons ou libérations miraculeuses. On rapportait que des prisonniers ayant invoqué Marie Madeleine avaient vu leurs chaînes brisées sans autre explication. Mais il ne suffisait pas aux moines de l'abbaye d'affirmer qu'ils détenaient les reliques de la pécheresse ; il fallait donner à cette « invention » une origine plausible.

Les religieux de Vézelay inventèrent à leur tour une pieuse captation de ces reliques provençales par un moine appelé Badilon, expressément mandaté par le fondateur de l'abbaye, Girart de Roussillon, provençal lui-même, et par conséquent dans la seconde moitié du IX^e^ siècle. Les mauvais esprits parlent d'un vol qualifié, comme il en advint tant dans le commerce médiéval des reliques. L'un de ces mécréants, Paul Parfait[1], raconte ainsi l'expédition :

---

1. Paul Parfait, *La Foire aux reliques,* Paris, 1883.

« Le bienheureux Badilon étant arrivé à Saint-Maximin avec la petite troupe de crocheteurs dont l'abbé de Vézelay lui avait confié le commandement s'introduisit de nuit dans la crypte où reposait la pseudo-Madeleine et, pieusement sacrilège, brisa le tombeau pour s'emparer du contenu. Les voleurs pour le bon motif purent s'esquiver sans encombre avec leur fardeau, protégés, disent certains, par une nuée miraculeuse. Toutefois, pour se faire moins remarquer, ils jugèrent bon de mettre la sainte en morceaux, ce qui leur permit de la porter plus commodément. » Sans approuver ce point de vue sarcastique, on peut imaginer que le succès du pèlerinage de Vézelay et la fortune de l'abbaye profitèrent de cette supercherie, grâce à laquelle put être construite la basilique du XIIe siècle. Et remarquer que si l'on s'obstine à mettre en place toutes les pièces de ce puzzle, les fragments de ce « cadavre exquis » prélevés dans le fameux tombeau d'albâtre provenaient alors du corps de Sidoine et non de celui de Madeleine puisqu'ils avaient été interchangés.

## *L'invention des reliques*

Les Provençaux, quant à eux, regardaient d'un assez mauvais œil les prétentions des Bourguignons à posséder tout ou partie de leur Madeleine. Mais ils ne savaient toujours pas où se trouvait son tombeau. Il fallait que ce fût au pied de la Sainte-Baume, et mieux encore à Saint-Maximin où le bourg, propre désormais à recevoir des pèlerins, croissait autour de l'oratoire de Maximin. On espérait une intervention divine, un signe qui désignât précisément le lieu de la sépulture et des reliques dérobées par les cassianites aux convoitises des sarrasins. Comme le dit Faillon : « La Providence, toujours attentive à ménager à l'Église des moyens de renouvellement analogues aux temps et au génie des siècles, a permis plusieurs fois que les corps de saints illustres tombassent dans une sorte d'oubli, et que le lieu de leur sépulture fût longtemps inconnu, afin de réveiller plus tard la dévotion publique envers eux, et de donner à leur culte, après cette sorte d'éclipse, une célébrité qu'il n'avait point eue auparavant. » L'instrument divin fut Charles, prince de Salerne, neveu de Saint Louis, futur roi de Sicile et comte de Provence.

Ce prince savait la vénération que portait à la sainte son oncle qui avait fait en 1254 le pèlerinage de la Sainte-Baume. Mais, au temps de Saint Louis, rien n'indiquait que Madeleine reposât à Saint-Maximin. Charles de Salerne résolut de percer l'énigme et ordonna que l'on fouillât la crypte de l'édifice fondé par Maximin, après qu'on l'eut dégagée de sa gangue de terre. Cela se fit dans les premiers jours de décembre 1279. « Le prince, après avoir fait creuser en vain, transporté dans un mouvement de zèle et de dévotion, veut lui-même se mettre à l'ouvrage ; il se dépouille de sa chlamyde, prend en main une houe, et commence à creuser une large fosse, avec une constance et une ardeur égales à sa piété, et jusqu'à en être trempé de sueur [1]. » Son obstination fut vite récompensée : il dégagea un premier tombeau de marbre qui révéla la présence d'un corps – moins la mâchoire inférieure – dont personne dans l'assistance ne douta qu'il fût celui de la pénitente. Dans la terre attenant au corps, on trouva un morceau de vieux liège auquel on n'accorda d'abord aucune attention. Puis, quelqu'un eut la curiosité de le manipuler et découvrit que c'était un étui contenant un parchemin sur lequel était portée une inscription révélatrice : « L'an de la Nativité du Seigneur 710, et le 6e jour de décembre, sous le règne de Clovis

1. Abbé Faillon, *op. cit.*

très-bon roi des Français, au temps des ravages de la perfide nation des Sarrasins, le corps de la très-chère et vénérable Marie Madeleine a été, à cause de la crainte de ladite perfide nation, transféré de son sépulcre d'albâtre dans celui-ci qui est de marbre, d'où l'on a retiré le corps de Sidoine, parce qu'il y est plus caché. »

Une fouille plus minutieuse permit ensuite de mettre au jour, dans le même tombeau, un globe de cire que l'on rompit et qui contenait une tablette de bois portant l'inscription : « ICI REPOSE LE CORPS DE MARIE MADELEINE. »

Depuis, les historiens, et en particulier l'abbé Saxer[1], ont fait table rase de ces témoignages, jugés « irrecevables », « non en vertu d'une idée préconçue mais parce qu'ils ne présentent pas les garanties d'authenticité ou de vérité sans lesquelles la science historique n'est pas possible ». Les prélats du XIIIe siècle n'avaient pas ce scrupule et c'est en toute bonne foi qu'ils scellèrent les deux inscriptions dans une charte dont l'authenticité fut attestée par les évêques de Narbonne, d'Arles, d'Aix et d'Embrun.

Leur conviction d'être en présence de la sépulture de la pécheresse fut encore confortée par trois autres découvertes quasi miraculeuses. D'abord une odeur suave qui se répandit dans toute la crypte à l'ouverture du tombeau. Cette odeur de sainteté est un des thèmes récurrents du discours hagiographique. Si l'expression n'apparaît que dans la seconde moitié du XVIIe siècle, au temps de la mystique baroque, ce parfum particulier qui s'exhalait du corps de certains saints après leur mort était reconnu depuis le IIIe siècle et s'était imposé avec une fréquence remarquable. On parlait alors d'odeur suave (ou en vieux français : « soueve »), c'est-à-dire douce,

1. Victor Saxer, *Le Culte de Marie Madeleine en Occident,* Auxerre, 1959.

agréable, propre à réjouir l'âme. On a dit qu'elle pouvait provenir des herbes aromatiques dont on avait embaumé les cadavres. Mais l'on en vint vite à considérer qu'il s'agissait d'un parfum *sui generis,* en confondant la suée, la sueur, le suintement... termes évoquant encore l'humidité chère à Madeleine. Celui de suavité n'est mentionné qu'à la fin du XIIe siècle. Il est de nos jours difficile d'imaginer ce que sent une odeur suave. Sans doute la frontière entre bonne et mauvaise odeur est-elle indécise, comme les limites du plaisir et de la répulsion. La putréfaction des cadavres provoque des exhalaisons et des effluves dont on dirait avec peine s'ils sont odeur ou parfum. Tout est dans le désir, d'aimer ou de savoir, de celui qui les respire. L'important, ici, est que l'odeur suave que répand le corps de la sainte souligne un rapport évident avec son rôle de « parfumeuse ». Ne dit-on pas que, dans sa grotte, elle avait remplacé les rituelles fumigations d'encens (lequel lui manquait cruellement) par le brûlement d'herbes aromatiques ?

La seconde découverte significative fut celle de la langue de la sainte qui, « au milieu des ossements arides de ce corps et malgré l'absence de l'os maxillaire inférieur, fut trouvée sans corruption, desséchée mais inhérente au palais » (Valuy). On tint évidemment pour prodige l'incorruption de cet organe, préservé de la décomposition alors que le reste du corps était entièrement décharné. Le phénomène d'incorruption, comme signe de sainteté, était une idée familière depuis le IVe siècle, mais les exemples autorisés dans lesquels la langue seule est préservée ne sont pas très nombreux. Le plus célèbre sera celui de saint Antoine de Padoue (XIIIe siècle) dont la langue fut retrouvée intacte quand le reste du corps était tombé en poussière. Elle était, dit-on, rouge, souple et entière. En 1725, on découvrira les restes de saint Jean Népomucène (XIV^e siècle) à peu près dans le même état : la langue était « douce et flexible ». On pourrait encore citer le cas de la bienheureuse Battista Varani dont le corps fut mis au jour en 1593, soixante ans après sa mort : la langue seule était intacte, « toujours humide et d'une couleur vermeille ». Les hagiographes n'ont pas manqué de donner à chacun de ces prodiges une explication symbolique. Saint Antoine de Padoue était devenu muet à la fin de sa vie et ne retrouva la voix que pour chanter laudes au moment de son trépas. Saint Jean Népomucène fut décapité pour n'avoir pas voulu révéler ce que la reine de Bohême lui avait avoué en confession. Dans le cas de Marie Madeleine, il est plausible de rapprocher l'incorruption de sa langue avec le fait que, vouée à la prédication, elle se soit elle-même réduite au silence. Dans ce cas précis, la chair a disparu, symbole de péché. Ne reste que la langue, symbole du message à transmettre. Car, dans sa mutité voulue, Madeleine (nous) parle encore. Elle continue de prêcher.

Mais la surprise des inventeurs des reliques ne s'arrête pas là. « On trouva, raconte Bernard de la Guionie, que la langue était encore inhérente à la tête et au gosier. Il en sortait une certaine racine, avec un rameau de fenouil assez long qui s'étendait au dehors. » Le cardinal de Cabassole ajoute que cette branche était verdoyante. Qu'un rameau de verdure naisse du corps d'un héros ou d'un dieu n'a rien de nouveau : la mythologie nous a familiarisé avec ce symbole de résurrection : du corps d'Osiris naît le blé, d'Atys les violettes, d'Adonis les roses... Ici la Providence a choisi le fenouil, plante aromatique commune en Provence. Cette plante au feuillage vaporeux mais aux tiges épaisses dégage, dit-on, quand on la coupe, cette fameuse odeur de sainteté exhalée par les tombeaux des bienheureux. Allusion possible aux aromates dont la pécheresse honora le Christ. Mais dans la tradition marseillaise, il est fait état d'une Notre-Dame-du-Fenouil, avatar de l'antique déesse Artémis, elle aussi navigatrice échouée dans la rade phocéenne. Il s'agissait d'une petite statue creusée dans une racine de fenouil et attribuée à saint Luc lui-même. Cette vierge noire portait une robe verte, de la même couleur que les chandelles que l'on offrait à la Chandeleur : c'est qu'il y avait confusion entre le terme provençal de *fenou* (fenouil dans le parler marseillais) et celui de *feu nou,* ou feu nouveau de la Chandeleur, symbole du renouveau printanier. Il faut par ailleurs évoquer les Grecs colonisateurs de Marseille qui, sur leurs navires, transportaient le feu nécessaire à leur cuisine et à leurs fumigations rituelles en enfermant des braises vives dans la tige creuse d'un gros fenouil ou d'un fénugrec. Enfin, faut-il souligner que c'est dans la crypte de Saint-Victor que fut mise au jour cette première Bonne Mère marseillaise ? Et ne peut-on imaginer, au point où nous en sommes, que Marie Madeleine et ses compagnons d'infortune transportèrent, eux aussi, à bord de leur frêle esquif, ce bâton à feu ?

La troisième découverte était plus improbable encore. Un peu au-dessus de l'œil gauche, ou plutôt de l'orbite vide, on aperçut une petite portion de chair encore revêtue de sa peau, de l'épaisseur d'un demi-doigt et de couleur rousse. Pour les découvreurs de ce trésor mystique, il n'y eut pas de doute. Comme pour Lacordaire qui s'écriera six siècles plus tard : « C'était une particule de chair mobile et transparente. Elle avait inspiré à tous au même instant, par un acte de foi unanime, que c'était là, là même, à cet endroit béni, que le Sauveur avait touché Madeleine lorsqu'il lui avait dit, après sa résurrection : *Noli me tangere,* ne me touche pas. » Relique insigne et preuve éclatante de l'identité de Marie. La couleur rousse ne fut pas attribuée à la putréfaction des chairs mais à la peau d'une pénitente du désert exposée au soleil. Un pèlerin qui visita la Sainte-Baume en 1497, Sylvestre Prierat, précise dans son récit intitulé *La Rose d'or* que cette peau semblait être celle d'une Éthiopienne !

Longtemps, ce fragment de chair sera vénéré sous ce nom de *« noli me tangere »*. Il ne se détachera du chef de la sainte qu'en 1789, sans doute pour annoncer l'imminence des temps de la révolte... Au temps de Pétrarque, Philippe de Cabassole, évêque de Cavaillon et promoteur des pèlerinages organisés à la Sainte-Baume, justifiera cette incorruption locale : « Au côté droit du front [pour celui qui contemple la relique], au-dessus de la tempe, tous les spectateurs peuvent voir clairement que le contact de la main sacrée du Seigneur, qui peut détruire par sa puissance ce qui est et conserver ce qui est corruptible, a préservé, contre les lois de la nature, cet endroit de toute corruption. »

En 1279, Charles de Salerne fit trois parts du corps de la sainte. Le chef, « privé de trois dents par les malheurs du temps », comme dit l'acte de reconnaissance, fut enfermé dans un buste d'or, la face recouverte d'un masque de cristal, lui-même caché par un autre masque d'or mobile. Puis le prince pria son père Charles Ier d'Anjou de lui envoyer sa couronne de pierres précieuses qui s'en vint à jamais coiffer la tête de la sainte. Mais il manquait toujours quelque chose : la mâchoire inférieure disparue. Le pape Boniface VIII, qui occupait alors le trône de saint Pierre, s'émut à juste titre de cette absence et fit rechercher parmi le trésor des reliques vaticanes un maxillaire qui s'adaptât à celui de Madeleine : on le trouva à Saint-Jean-de-Latran, qui s'adapta parfaitement au chef incomplet. Preuve supplémentaire de l'identité du corps trouvé. C'est dans cet état définitif – moins le *« noli me tangere »* – que l'on peut aujourd'hui admirer ce précieux reliquaire, au fond de la crypte de la basilique de Saint-Maximin. Quant au *« noli me tangere »*, il est enchâssé dans un autre reliquaire, tube de cristal, scellé aux deux bouts par un fermoir en vermeil, également visible dans la crypte.

À ce trésor magdalénien (d'aucuns parleront de bric-à-brac de la religiosité), il faut ajouter la Sainte Ampoule dont la recluse ne se séparait pas, même pendant ses exercices de lévitation. On trouva en effet dans la terre accumulée de la crypte un flacon d'albâtre contenant les fragments d'une énigmatique matière rouge. Et l'on sut immédiatement qu'il s'agissait là du vase sacré dans lequel Marie Madeleine avait recueilli un peu du sang du Christ sous la Croix. Selon une autre version, cette Sainte Ampoule (qu'il ne faut pas confondre avec celle de Reims servant à oindre les rois de France) était une fiole de verre renfermant quelques petites pierres « seulement » teintes du sang divin. « Pendant une longue suite d'années, prétend le journal *Le Pèlerin* en 1876, on voyait le Vendredi saint ces pierres, qui sont ordinairement d'un rouge noir, prendre une couleur vermeille et éclatante ; le sang attaché à ces objets se liquéfiait, on le voyait bouillonner, monter et descendre dans la Sainte Ampoule. Le prodige se renouvelait chaque année après la lecture de la Passion, à la vue de tous les assistants. » Mais depuis ces temps de réparation collective qui ont marqué la fin du XIXe siècle, la « perle des reliques » a cessé de manifester ainsi le caractère divin de son précieux contenu.

À propos de ce miracle de la Sainte Ampoule, on peut lire dans la *Cosmographie universelle* de Belleforest (seconde moitié du XVIe siècle) :

« Cette phiole est monstree tous les ans, le jour qu'on celèbre la Passion de Notre-Seigneur, le Vendredi saint, et cecy non sans grand merveille et estonnement de ceulx qui y assistent ; car l'office estant faict, le prieur des Jacobins monstre apres midy la phiole, le sang de laquelle on voit petit à petit croistre jusqu'à emplir le vase susdit, ce qui a esté vu de plusieurs et meme les Huguenots pensant que ce fussent quelques subtilités fratresques y voulurent assister et sans mentir ils virent ce qu'eussent estimé folie et furent confus voyant à leur face et presence, ayant eu eux-mêmes le saint vase en garde toute la nuit, qu'apres midy ceste matière caillée qui ordinairement ne couvre que le fonds du vase, se liquéfier et amollir et puis devenir claire et représenter visiblement l'eau et le sang qui ruisselèrent du costé de nostre Dieu quand le gendarme lui perça d'une lance. De ce miracle nous a assurés le seigneur de la Purle qui pour plus grande assurance et témoignage plus certain nous a mis en main une lettre attestatoire qu'il a recouvert de seigneur de Germigny en Bourgoigne, qui vit tous ces saints lieux et voulut non avec curiosité mais religieusement avoir l'heur de voir ce miracle le 13e d'avril mil cinq cent septante et un. »

Comme les deux inscriptions authentifiant le corps de Marie Madeleine – considérées aujourd'hui comme « des documents forgés pour la circonstance[1] » – ces quatre découvertes ont été considérées comme « irrecevables » par les historiens modernes. Mais ceux-ci reconnaissent volontiers que cette « invention » des reliques de 1279 a singulièrement conforté l'implantation du culte magdalénien en Provence et dans une grande partie de la France d'alors. Et même en Allemagne, plus particulièrement

1. Jean-Rémy Palanque, « Sur les origines du culte de la Madeleine en Provence », *Provence historique,* octobre-décembre 1959.

dans la région de Lübeck. Qu'elle a par ailleurs considérablement réduit l'éclat du pèlerinage de Vézelay qui tomba dès lors en désuétude. Les bénédictins bourguignons ne purent résister à la concurrence que leur firent les dominicains provençaux, soucieux de faire de la Sainte-Baume et de la crypte de Saint-Maximin le seul théâtre des exploits de leur patronne. Dès lors, à partir de cette révélation de 1279 – que l'abbé Saxer qualifie de « génération spontanée » – affluèrent au pied de la Sainte-Baume « les flots des pèlerins et le pactole des donations » que Vézelay ne sut pas retenir.

### *Les ermites*

On a vu que, dès le v^e^ siècle, des anachorètes avaient élu domicile dans la Sainte-Baume. Ils avaient naturellement choisi le bas de la falaise, à l'orée supérieure de la forêt qui les protégeait des visiteurs importuns. « À quelques centaines de mètres à l'ouest de la grotte est un endroit appelé la Solitude. Les arbres y sont larges comme les piliers d'une cathédrale et ils étendent une ombre épaisse. Juste au-dessus de la Solitude, en bordure de la falaise ensoleillée qui domine cette zone d'ombre, se cachent dans les anfractuosités de la pierre des asiles de vie érémitique. » (Vincent.) Dans ce paysage mental qu'est la Sainte-Baume, il n'est pas fortuit que les ermites aient privilégié cette ligne de partage de l'ombre et de la lumière. Ce sera un thème récurrent de l'iconographie religieuse.

Le souvenir de ces premiers anachorètes de la Sainte-Baume a perduré bien au-delà du Moyen Âge. Quand, à la fin du xv^e^ siècle, le pèlerin allemand Waltheym[1] visite la grotte, il demande à voir aussi le trou qu'avait

1. Voir p. 103.

*jadis* occupé un ermite, « le dernier à avoir vu comment les anges emmenaient Marie Madeleine dans les airs ». Selon les frères attachés au sanctuaire, cette cellule naturelle se trouvait au bas de la montagne et ne pouvait être atteinte que par un chemin très difficile. Waltheym y parvient tout de même sans encombre et rapporte que « la petite cellule est murée par quatre murs et a peut-être six aunes de large sur huit de long. Le toit est effondré et les poutres sont encore à terre. Cette cellule est très isolée et sauvage, cachée dans la forêt dans un lieu solitaire, loin des gens ». Mais le pèlerin omet de la situer plus précisément et de lui donner un nom. Si l'on prend le terme montagne pour celui de falaise, il s'agit sans doute de cette Solitude située au couchant de la grotte de Marie Madeleine. Évidemment son occupant ne pouvait être contemporain de la recluse, c'est-à-dire du Ier siècle. Par ailleurs, la localisation de ce refuge érémitique prête à confusion. Waltheym lui-même se contredit quand il ajoute que, pour y parvenir, il monta à cheval et descendit dans « une vallée profonde », très loin au bas de la montagne. Il est possible que son guide, l'un des gardiens du sanctuaire, l'ait conduit dans la vallée de Saint-Maximin, lieu de résidence de celui qui avait effectivement, selon la tradition, assisté à la dernière lévitation de la sainte.

Quoi qu'il en soit, le pied de la falaise magdalénienne recèle effectivement plusieurs niches naturelles que l'on dit avoir été occupées par des solitaires, anonymes pour la plupart, mais dont la tradition a conservé heureusement quelques noms. Ainsi du père Dalmace Moner, dominicain espagnol du monastère de Gérone, qui passa plusieurs années dans cette solitude au XIVe siècle. Son ordre ne lui permit pas d'y finir ses jours mais lui accorda, quand il fut revenu à Gérone, de construire dans un coin de son jardin une Sainte-Baume miniature et une grotte artificielle devant laquelle il put encore honorer la pénitente. Sa grotte est toujours visible à l'ouest de celle de Marie Madeleine, entre l'Aiguille et le pas de la Cabre.

Pour la découvrir, on passe devant un autre abri érémitique, celui du père Élie de Toulouse, mort en odeur de sainteté en 1370 après avoir vécu ici plus de soixante-dix ans – une durée assez exceptionnelle. C'est une baume de quatre mètres de profondeur, de trois de hauteur avec une ouverture d'une largeur d'une douzaine de mètres. Elle n'est pas pourtant sans rappeler celle de saint Eucher qui, au v^e^ siècle, passa la plus grande partie de sa vie dans une grotte au bord de la Durance[1].

Exclusivement nourri d'herbes et de racines sauvages, et peut-être exceptionnellement (succombant à la gourmandise) d'un lézard le dimanche, un ermite ainsi privé de toute relation humaine ne peut manquer d'être l'objet des sollicitations de l'imagination. D'après la relation d'un voyageur toscan qui fut l'un des seuls êtres humains à le surprendre dans son repaire, le père Élie avait des visions. Et pas n'importe lesquelles. Il déclara à son visiteur qu'une nuit « il vit la montagne de la Sainte-Baume se partager tout à coup en quatre parties, et lui présenter en même temps les quatre parties du monde, l'Orient, l'Occident, le Nord et le Midi, avec le ciel au-dessous et la mer au-dessus… ». Que le monde chavire comme l'esprit d'un homme égaré par les mortifications et la solitude n'a rien d'étonnant. Mais cette vision singulière est à rapprocher d'une tradition locale selon laquelle, au lieu dit le Canapé, un amas de pierres gigantesques devant lequel on fait halte avant d'accéder à la grotte de Marie Made-

1. Une vie édifiante que j'ai racontée dans mon livre, *L'Ermite* (Albin Michel, 1986).

leine est le produit d'un effondrement de la falaise ayant eu lieu a l'instant même de la Crucifixion. Dans un bruit épouvantable, les rochers se seraient fendus et fracassés dans le vide, découvrant par la même occasion l'entrée de la grotte magdalénienne. Il est fort possible que le père Élie ait, une nuit d'orage, entendu effectivement de grands pans de la falaise s'écrouler, et qu'il ait vu, entre deux éclairs, la falaise s'entrouvrir. Il est évident que celle-ci, sous l'effet du gel, donne naissance à de tels éboulements dont témoignent les chaos rocheux que l'on trouve à ses pieds.

Mais la vision du père Élie ne s'arrêta pas là. « Effrayé de ce spectacle, il appela à son secours sainte Madeleine qui lui apparut resplendissante de lumière et qui lui raconta toutes les difficultés qu'elle avait rencontrées elle-même en se fixant dans ce lieu. Elle lui dit que, transportée par la puissance de Dieu et déposée à l'entrée de la grotte, elle y aperçut le dragon dont sa sœur Marthe triompha, et que ce dragon, disparaissant aussitôt, la laissa paralysée de peur. Qu'alors, elle demanda à Dieu de faire jaillir une fontaine dans la grotte, ce qu'elle obtint sur-le-champ. Que, voulant remercier Notre-Seigneur de cette grâce, elle aperçut plus de mille esprits qui chantaient en hébreu, et que, comme ces esprits la détournaient de faire de longues oraisons, comprenant que c'étaient des démons, de même que tout l'air de la grotte était rempli de ces esprits immondes, elle appela Jésus-Christ à son secours et qu'aussitôt saint Michel accourut avec ses anges, mit en fuite tous les démons et dressa une croix à l'entrée de la grotte. »

Outre l'allusion aux reptiles dont Marie Madeleine aurait débarrassé la Sainte-Baume, la vision du père Élie, par la bouche du pèlerin toscan, désigne la grotte comme un lieu d'exorcisme, et l'on verra plus loin l'usage qu'en feront les inquisiteurs et chasseurs de sorcières.

## *Les premiers établissements religieux.*

Si le culte de Marie Madeleine se fonde à la fin du XIIIe siècle sur la prétendue découverte de sa sépulture et de ses reliques à Saint-Maximin, la Sainte-Baume n'en était pas moins déjà un haut lieu de la religiosité provençale et un « désert » monastique. L'inscription trouvée en 1279 et affirmant qu'en l'an 710 le corps de la pénitente avait été soustrait aux convoitises sarrasines, toute fabriquée qu'elle soit, fait état d'une présence religieuse dans ce massif depuis une époque déjà lointaine. Les faussaires se sont seulement trompés de chronologie. D'abord en plaçant la dissimulation des reliques sous le règne de Clovis dont on sait maintenant qu'il vécut à la fin du Ve siècle. Or, c'est bien dans la première moitié de ce Ve siècle que les moines de Saint-Victor de Marseille commencèrent de se retirer sur le versant nord de la Sainte-Baume. Le mérite de cette diaspora en revient à saint Cassien, ce moine venu d'Orient dont nous avons déjà dit qu'il était arrivé à Marseille en 416 pour y fonder des communautés religieuses d'hommes et de femmes. La tradition provençale – toujours elle ! – lui accorde d'avoir voulu que ses moines essaimassent dans cette montagne pour y vivre, non en anachorètes mais en cénobites, c'est-à-dire non en solitaires mais en groupe – la solitude lui apparaissant comme dangereuse et orgueilleuse. Rien ne prouve qu'il ait lui-même montré l'exemple en logeant dans quelque trou de la falaise avec certains compagnons d'exil volontaire. Il reste que la géographie de la Sainte-Baume est encore riche de toponymes qui évoquent sa présence : ferme, ruines, ermitage… qui portent son nom. Selon l'abbé Faillon, ces premiers cassianites « demeuraient à l'entrée de la partie inférieure de la grotte, dans un modeste édifice construit sous le creux même du rocher. Mais comme ce lieu trop humide était très malsain, ils le quittèrent pour se construire des cellules hors de la grotte et sur le bord même du rocher». Fidèle à son souci de ne pas exclure les femmes des exercices de la religion, Cassien aurait créé pour elles un autre centre érémitique, éloigné de celui des hommes quand même, en un lieu inaccessible et que l'on situait aux environs de l'actuelle ferme des Béguines.

Ces cassianites sont donc traditionnellement les défricheurs de la Sainte-Baume, qui balisèrent quelques sentiers et permirent aux premiers pèlerins d'accéder à ce haut lieu. Dans la confusion chronologique qui préside à la légende magdalénienne, on ne s'étonne pas de trouver sous la plume des hagiographes cette affirmation: «Jusqu'à saint Cassien, la grotte avait été inaccessible, et les pieux pèlerins, après avoir pénétré dans la forêt, devaient se contenter de s'agenouiller sur la mousse, de contempler, les yeux baignés de pleurs, l'orifice mystérieux de la Sainte-Baume, d'y faire monter leurs soupirs et leurs vœux, et de baiser par dévotion la base des rochers. C'est saint Cassien qui, pressentant la possibilité d'y pénétrer, ordonna à ses religieux de creuser le granit *[sic]*, et, à force d'arceaux et de murs, d'obtenir un sentier jusqu'à la grotte.» (Valuy.)

Dans le même temps, les cassianites occupèrent l'oratoire et la crypte de Saint-Maximin et s'y firent, comme l'assure la tradition, les gardiens du tombeau. Puis ils furent remplacés par les bénédictins, encore que ceux-là venaient toujours de Saint-Victor de Marseille. Selon Saxer [1], «leur cartulaire mentionne en particulier une

1. Victor Saxer, *op. cit.*

église de Sainte-Marie-de-la-Baume ; nous ne connaissons pas son emplacement exact, mais il faut évidemment la placer à proximité, sinon dans le voisinage immédiat, de la grotte. Ce premier sanctuaire était placé sous le patronage de Notre-Dame et non de la Madeleine. »

## *La fondation de la basilique de Saint-Maximin*

À la fin du XIe siècle, en 1079 semble-t-il, les cassianites furent relevés par les bénédictins de Marseille qui demeurèrent auprès de l'oratoire de saint Maximin jusqu'à l'invention des reliques en 1279. Celle-ci mit fin à leur présence. Charles de Salerne, avec l'accord de Boniface VIII, leur préféra les dominicains dont l'ordre avait été fondé au début du siècle et qui portaient encore le nom de frères prêcheurs de Toulouse. Ils avaient adopté Marie Madeleine pour patronne. Il parut naturel à Charles de Salerne qu'ils devinssent « les gardiens des reliques de sainte Madeleine et les prédicateurs de ses vertus. » Les bénédictins protestèrent évidemment contre cette dépossession, mais le pape leur interdit, sous peine d'excommunication, de revendiquer des droits sur leurs anciens prieurés de la Sainte-Baume et de Saint-Maximin. Charles confia la garde des reliques et du sanctuaire à vingt frères prêcheurs dont quatre furent plus particulièrement attachés à la grotte de la Sainte-Baume.

Puis il entreprit de donner à ces reliques un abri digne de leur valeur inestimable, ordonnant en 1295 la construction de la basilique dédiée non à la Madeleine mais à saint Maximin.

Pour l'édification de ce monument, le prince dépensa des sommes considérables et sacrifia une partie de sa fortune. Mais il lui fallut recourir à d'autres sources. En particulier le produit de la taille imposée aux juifs dans les comtés de Provence et de Forcalquier. Les juifs obtinrent de leur côté de résider dans la nouvelle ville et d'y avoir une synagogue en échange d'un impôt annuel en poivre et gingembre payé à l'église de la Madeleine. On utilisa également les sommes détournées par les receveurs du fisc qui voulaient bien avouer leur larcin en confession[1]. Déjà à cette époque, les religieux vivaient en partie du commerce des médailles, au grand dam des marchands du temple qui, dès l'ouverture du sanctuaire, accaparèrent les échoppes voisines. Quoi qu'il en fut des dépenses consenties, l'édification de la basilique prit beaucoup de temps. Charles de Salerne voyait grand et rêvait d'un établissement de très vastes dimensions, susceptible d'accueillir les foules considérables de pèlerins que le sanctuaire ne manquerait pas d'attirer. En fait, il fallut attendre 1532 pour qu'enfin l'édifice fût achevé dans l'état où nous le voyons aujourd'hui.

La basilique de Saint-Maximin est toujours vouée à Marie Madeleine. Décoration et trésor témoignent encore de la vénération portée à la sainte. Dans l'abside, trois tableaux du peintre aixois Boisson la représentent aux trois étapes de sa vie : celui du milieu la montre en extase à l'entrée de la grotte. Dans la crypte repose le tombeau dit de Marie Madeleine. Au fond est exposé le chef de la sainte en son reliquaire, tandis qu'un autre reliquaire abrite le *Noli me tangere*.

Le chef de Madeleine : masque noir de la mort. Ce sous-verre est une impressionnante image de la mort. Un crâne est blanc d'habitude, comme celui que les peintres ont assigné comme attribut aux représentations de la recluse. Mais ici, celle-ci a perdu toute beauté humaine.

1. En 1340, des agents du fisc reconnurent avoir détourné 2 000 florins au détriment des religieux de Saint-Maximin.

Ce masque n'est plus que le visage de l'au-delà terrestre. Ce n'est plus que sa dépouille, que, papillon échappé de sa chrysalide, elle a abandonnée à la poussière de ce bas monde. Et pourtant ces yeux vides nous regardent et cette bouche muette nous parle. Le mythe possède ici une présence absolue.

Le reliquaire du *Noli me tangere* est lié à celui dans lequel est inséré le chef : on a voulu ainsi relier à la tête de Madeleine ce fragment de peau qui s'en était détaché à la veille de la Révolution (signe des temps, avait-on dit).

## *Les anges du péché*

Les moines n'étaient pas les seuls à occuper la Sainte-Baume. Des religieuses s'y étaient implantées très tôt, suivant ainsi les préceptes de Cassien qui accordait aux femmes une place convenable dans l'exercice de la foi. Comme il l'avait fait à Marseille, il eut le souci d'établir une communauté féminine au cœur même du massif. C'est du moins ce qu'affirme la tradition. Selon l'abbé Faillon, plus fidèle à la légende qu'attentif à l'histoire, Cassien fonda ce monastère « à une demi-lieue de la grotte, dans un lieu écarté et comme inaccessible aux pèlerins, situé entre la Sainte-Baume et les ruines qui portent le nom de ce saint abbé. La ferme qu'on a construite sur l'emplacement du monastère des religieuses est un témoignage certain de l'existence de cette communauté puisqu'elle n'est connue que sous le nom de Béguines. La partie de la montagne de la Sainte-Baume qui domine cette ferme porte le nom de pic des Béguines ».

À la fin du XVIII$^{e}$ siècle, l'historien provençal Papon confirmera l'existence de cette communauté mais niera qu'elle s'y fût implantée pour honorer le souvenir de la repentie. « Il y a toute apparence, écrit-il, qu'en 1279 on prit pour sainte Madeleine quelque célèbre pénitente qui portait le même nom. Car les religieuses cassanites possédaient de longue date un monastère au-dessus de la Sainte-Baume. L'une d'entre elles – nommée Madeleine – fit peut-être pénitence dans la grotte devenue depuis si célèbre, y trouva la mort, donnant naissance à une fable que la piété des fidèles et l'identité de noms accrédita. » À cette même époque des Lumières, le voyageur Millin conforte à son tour l'absence de tout témoignage recevable sur la présence de la sainte et ajoute, de son cru : « Il paraîtrait que lorsque les sarrasins détruisirent le monastère des religieuses cassianites, près de Saint-Zacharie, au VIII^e^ siècle, une de ces filles nommée Madeleine échappa au massacre que ceux-ci firent de ses compagnes et alla se cacher dans une des grottes de la montagne voisine où elle se nourrissait de fruits sauvages. » Millin a toutefois raison de situer le monastère aux environs de Saint-Zacharie. C'est en effet là que, semble-t-il, les religieuses se retirèrent au VIII^e^ siècle. L'incontournable Faillon nous donne sa propre version de ce transfert : « L'isolement de ce désert, le froid qu'on y éprouve, le manque de toute espèce de ressources, et peut-être la crainte des barbares, purent engager les religieuses cassianites de la Sainte-Baume, lorsque la première ferveur se fut ralentie parmi elles, à abandonner ce lieu pour se retirer à Saint-Zacharie, petite ville située dans le voisinage et appelée pour cela dans les anciens actes Saint-Zacharie-sous-la-Baume. Ces religieuses ont subsisté dans ce lieu jusqu'en 1792, étant toujours sous la dépendance de l'abbaye de Cassien de Marseille. »

Au XIII^e^ siècle, et bien avant l'invention des reliques, la présence de religieuses dans la Sainte-Baume est attestée par le pèlerin Salimbene[1] qui note en 1248 que « sur la route même, à cinq milles de la grotte, est un certain noble monastère de religieuses en blanc, dévouées aux frères mineurs, qu'elles voient et reçoivent volontiers, leur donnant bonne hospitalité ».

Mais qui étaient ces nonnes ? On leur a accordé le nom de béguines, un terme dont on ignore l'origine mais qui apparaît effectivement au XIIIe siècle pour désigner d'abord des novices qui ne prononcent pas de vœux. Ce sont en effet, comme Marie Madeleine, des pécheresses repentantes, désireuses d'expier leur vie galante dans la pénitence et l'enfermement. Plus tard, le couvent de Béthanie[2] perpétuera cette tradition d'accueil des anciennes prostituées ou délinquantes. Et le père Bruckberger y tournera son film *Les Anges du péché*.

## *Le transport des reliques*

L'histoire du culte de Marie Madeleine autour de la Sainte-Baume est naturellement liée à celle de la vénération de ses reliques, dont on a vu qu'elles le fondaient. Après que le pape Boniface VIII eut rendu au chef de la sainte sa mâchoire manquante, Charles de Salerne confia celui-ci aux religieuses de Notre-Dame-de-Nazareth d'Aix-en-Provence, qui le conservèrent quelque temps avant de le rendre aux gardiens de Saint-Maximin. En 1347, afin de les soustraire aux bandes de Gascons qui couraient alors la Provence, les reliques furent secrètement transportées de Saint-Maximin à la Sainte-Baume, « forteresse naturelle » (Valuy). On a avancé pour preuve de cette translation le texte d'une charte trouvée dans la

---

1. Voir p. 100.
2. Au nord du Plan d'Aups.

châsse de Marie Madeleine en 1660 sous les yeux de Louis XIV qui l'authentifia lors de son pèlerinage à Saint-Maximin. Parmi les divers épisodes de ces translations, il faut relever celui qui met en cause les Marseillais. Au cours de son voyage à la Sainte-Baume de 1474, le dévot Waltheym[1] note en effet : « Le dimanche, tôt le matin, le crieur public de Saint-Maximin se tenait devant le cimetière de l'église et criait à haute voix, annonçant à tous paix, grâce et sécurité, ainsi que bonne et sûre escorte à ceux qui se rendent à une fête si noble et si bénéfique [l'exposition des reliques], sauf à ceux de Marseille auxquels il interdisait la ville, et il interdisait aussi, sous peine de mort, quiconque les hébergerait. » La raison de cet ostracisme était ainsi invoquée : « Une fois, à l'occasion de la fête de la Translation, les citoyens de Marseille étaient venus en grand nombre et, alors qu'on allait en procession et qu'on portait avec grands honneurs la tête de Marie Madeleine, les citoyens de Marseille passèrent à l'attaque et s'emparèrent par force de la tête. Ils s'enfuirent avec elle et l'emportèrent dans les champs hors de la ville. Alors les habitants de Saint-Maximin se rassemblèrent, sortirent en armes, les rattrapèrent, se battirent avec eux, leur reprirent la tête et la rapportèrent dans la cathédrale. » L'affaire est confirmée en 1664 par Honoré Bouche en sa *Chorographie de l'histoire de la Provence,* qui ajoute : « De quoi les consuls et habitants de la ville de Saint-Maximin furent si reconnaissants qu'en mémoire de cette action, comme toutes les années il venait un capitaine de la cité d'Arles en celle de Saint-Maximin, le jour de la fête de cette sainte, accompagné de beaucoup de ses concitoyens, les consuls de Saint-Maximin lui remettaient en main les

1. Voir p. 103.

clefs de la ville et défrayaient toute la compagnie, cérémonie qui a duré jusques à l'an 1595, au temps des guerres civiles dans ces provinces. »

En 1348, le roi René, soucieux d'authentifier à son tour les reliques, fit ouvrir la châsse et transcrire les actes qu'elle renfermait. En 1496, attachant un grand prix à la conservation intégrale de ces précieux restes, Charles VIII fit interdire aux religieux du sanctuaire d'en prélever la moindre parcelle, comme c'était alors, selon une fâcheuse coutume, l'habitude des gardiens. Au mois de janvier 1505, des moines italiens qui résidaient au couvent de Saint-Maximin eurent l'audace d'enlever pendant la nuit le masque d'or qui couvrait le chef de Marie Madeleine et quelques-unes des reliques pour les porter en Italie et enrichir ainsi leur monastère. Découverts et arrêtés, ils furent condamnés par le parlement d'Aix à être pendus.

En 1536, sous le règne de François I^er^, Charles Quint, fondant sur la Provence, s'avisa de s'emparer des saints ossements. « Je ne sais, dit encore Honoré Bouche, si c'était par dévotion qu'il pouvait avoir envers cette grande amie de Dieu ou pour en priver par envie la Provence, mais la prévoyance des religieux de ce couvent ayant caché les saintes reliques dans le creux d'un puits rendit tous les efforts de l'empereur vains et inutiles. » Retirées de leur cachette « au milieu de la joie universelle » (Valuy), il fallut ensuite les soustraire aux huguenots en 1574 et les transporter cette fois à la Sainte-Baume où elles furent conservées jusqu'en 1595. Mais la grotte ayant été incendiée, le parlement d'Aix autorisa le père vicaire de la grotte à réquisitionner les hommes de la région pour la défendre et à faire construire un pont-levis pour la protéger. Malgré ce pont-levis, auquel on ajouta des murs crénelés, deux portails et un passage voûté fermé d'une herse, cette forteresse de la foi fut envahie et en partie pillée en 1592. Le prieur, enlevé comme otage, ne recouvra la liberté qu'en échange d'une forte rançon.

Les troubles politiques du règne de Henri III condamnèrent les reliques à demeurer cachées. La paix revenue, elles furent « de nouveau replacées solennellement dans la crypte de Saint- Maximin, plus que jamais vénérées par les peuples et par les rois qui enrichissaient à l'envi de diamants et de pierreries la châsse d'or où elles étaient enfermées » (Faillon). Cette châsse a elle-même son histoire.

En 1660, Louis XIV, s'étant rendu en pèlerinage à la Sainte-Baume et à Saint-Maximin, ordonna qu'elle fût remplacée, et dans des conditions que relate encore Faillon. Le roi se fit présenter l'ancienne châsse qui renfermait les reliques. Elle était attachée sur une pyramide de bois par des chaînes que l'on rompit, et fermée de quatre serrures que l'on força. « On l'ouvrit et on y trouva une caisse en cuivre, garnie en dedans de drap d'or, et dans laquelle étaient les ossements de sainte Madeleine. Ils étaient enveloppés d'un linge cacheté de deux sceaux royaux apposés sur un ruban blanc. On trouva deux grands os des cuisses, l'omoplate du genou *[sic],* quelques os de l'épine du dos, et d'autres petits, en très grand nombre... À l'exception du chef, de deux os du bras droit, et des cheveux, conservés dans les châsses précieuses [mises à part], c'était là tout ce qui restait alors à Saint-Maximin du corps de sainte Madeleine[1]. »

Ces ossements furent reconnus authentiques (?) par le médecin du roi, Antoine Valot. Et bien qu'il fût défendu de distraire quelque parcelle de ces restes, on fit cadeau à la reine d'une vertèbre. Puis « l'archevêque d'Avignon

1. Abbé Faillon, *op. cit.*

retira les reliques de la châsse de cuivre, les mit dans un linge qu'il enveloppa encore dans une écharpe de soie bleue, et les plaça dans une caisse de plomb préparée à cet effet. Cette nouvelle caisse était garnie en dehors et en dedans d'un brocart d'or et fermée de deux serrures. L'archevêque la ferma et en remit les clefs au roi, qui les fit rompre en sa présence. Ensuite on attacha autour de cette caisse deux rubans de soie bleue sur lesquels le roi apposa lui-même son sceau en cire rouge en dix endroits différents, puis on la transporta dans la crypte où on la laissa pendant la nuit… » Le lendemain matin, on la rapporta devant l'autel, « et là, la caisse de plomb fut déposée dans la châsse de porphyre ». Les lettres patentes du roi, authentifiant ces reliques, parlent alors d'une urne de porphyre. Enfin, quelques jours plus tard, cette châsse ou cette urne fut fermée par d'autres serrures et attachée sur le grand autel avec les deux chaînes de fer recouvertes de cuivre doré que l'on avait trouvées d'abord.

En 1780, la Cour des comptes ordonna la vérification de toutes les reliques, ce qui nécessitait une nouvelle ouverture de la châsse. L'opération ne pouvait se faire sans s'ébruiter et elle provoqua le concours d'une grande multitude, empressée à y assister. Selon le rapport des commissaires, « les cris du peuple assemblé sur la place devant la maison des Dominicains, les menaces qui nous étaient faites si nous tardions à montrer à découvert le visage de sainte Madeleine, nous ont fait craindre une émeute générale ; en conséquence, nous avons fait ouvrir les barrières et la maréchaussée suffit à peine pour contenir la foule ». C'est en procédant à cette nouvelle vérification que l'on s'aperçut que le lambeau de chair jusqu'alors adhérent à l'os frontal du chef de la Madeleine, le *Noli me tangere,* s'était détaché. On le recueillit pour le placer dans l'étui de cristal, conservé jusqu'à nos jours.

Vint la Révolution et ses excès fâcheux. « L'urne de porphyre ne manqua pas d'être violée ; les écrits qu'elle contenait furent livrés aux flammes ; on jeta pêle-mêle sur le pavé les glorieux restes de Marie Madeleine, ainsi que son chef, arraché de sa châsse d'or et d'autres ossements aussi dépouillés de leurs magnifiques reliquaires. C'est aux soins courageux du sacristain Bastide que l'on doit la conservation de ce qui subsiste encore : le chef, l'os d'un des bras, quelques cheveux de l'illustre pénitente, avec le célèbre reliquaire de la sainte ampoule. » Ravies à la fureur révolutionnaire et cachées, ces reliques furent rapportées à la basilique en 1798 où elles reposent désormais en paix.

## *L'aménagement de la grotte*

Après avoir évoqué les avatars de ces reliques, il est temps de remonter au sommet de la Sainte-Baume pour dire quelques mots de l'aménagement de la grotte au cours des âges. L'invention de la sépulture de Marie Madeleine dans les dernières années du XIII$^{e}$ siècle provoqua l'affluence des pèlerins en ce lieu désormais accessible. À tel point qu'il fallut songer à préserver le séjour de la pénitente des dégradations inévitables de la foule. En 1337, le roi Robert ordonna de l'entourer de grilles de fer et d'en interdire l'entrée à la multitude. Au cours des siècles, les rois et les princes ne cessèrent de verser des sommes importantes à l'entretien de la grotte et des bâtiments hospitaliers, comme à l'entretien des gardes dominicains. En 1396, l'antipape Benoît XIII, dit Pierre de Lune, offre 200 florins d'or. La même somme est consentie en 1419 par la reine Yolande. En 1442, « un affreux incendie ayant consumé les bâtiments et les ornements de la Sainte-Baume, le pape Eugène IV, à la prière du roi

René et de la reine de France, Marie d'Anjou, accorde indulgence plénière à l'article de la mort à tous les fidèles qui, le jour de la translation ou de l'invention de Marie Madeleine, visiteront l'église de la Sainte-Baume et feront une certaine aumône ou qui travailleront ou feront travailler à la réparation de la sainte baume » (Faillon). En 1512, Louis XII confirme la donation de la reine Yolande en faveur de « l'un des plus dévots lieux du monde ». Dès lors, chaque souverain y alla de son obole.

Mais les travaux d'aménagement et de protection ne suffirent pas toujours à détourner les pilleurs d'églises. En 1652, quatre voleurs, dont le chef s'était déguisé en femme, tentèrent de dépouiller la grotte de ses ornements. Mais leur entreprise ayant échoué, contrariée par le courage des moines gardiens, ils furent arrêtés, leur chef pendu, ses complices condamnés aux galères. La baume, alors défendue par des tours et des murailles crénelées, excitait aussi la convoitise des bandes armées qui couraient le pays pendant les troubles de la Fronde : quelques-uns de ces bandits de grand chemin voulurent s'en emparer pour en faire le repaire d'où ils pourraient fondre sur les villes de la plaine. Ils s'assurèrent dans ce but le concours d'un pèlerin lorrain, qui les devança à la Sainte-Baume pour y préparer leur entrée. « Mais la vue de ce saint lieu, rapporte Honoré Bouche, ayant touché de repentir ce faux ermite, il donna avis aux religieux du complot formé contre eux. En conséquence, les religieux arrêtèrent les voleurs, les désarmèrent et les firent conduire à Aix. »

Tous ces bandits n'avaient pas de mauvaises intentions. La Sainte-Baume servit aussi de refuge à bien des réfractaires, insoumis ou fugitifs qui trouvaient facilement à s'y cacher. C'est ainsi que le fameux Gaspard de Besse[1],

---

1. Voir Jacques Bens, *Gaspard de Besse,* Ramsay, 1986.

le vaurien au grand cœur, poursuivi par la maréchaussée, s'abrita quelque temps dans un abri naturel creusé au pied du Saint-Pilon, un étroit boyau long d'une vingtaine de mètres, dissimulé par d'épais buissons, et qui porte encore le nom d'Antre de Gaspard de Besse.

D'autres pillages allaient bientôt suivre, sous d'autres prétextes. En 1789, l'Assemblée nationale décida la nationalisation des biens du clergé, la dissolution des ordres religieux et fit dresser des inventaires. Celui de la Sainte-Baume eut lieu en décembre 1790. « On transporta au district de Saint-Maximin les meubles et les ornements, ainsi que les riches offrandes que la piété y avait consacrées depuis tant de siècles. » Les dominicains chassés de la grotte, « on y laissa cependant un des anciens religieux, le père Sand, qui avait passé plus de soixante ans dans cette solitude et à qui les commissaires délégués pour opérer cette spoliation permirent de garder les linges, les meubles et les livres nécessaires à son usage. Ce pieux cénobite, habile dans les ouvrages de menuiserie, de serrurerie et autres arts mécaniques, croyait pouvoir terminer ses jours dans cette retraite profonde. Mais les événements le forcèrent bientôt à la quitter et à se réfugier à Nans, où il vécut encore assez pour être le témoin de la profanation et de la ruine de la Sainte-Baume. La fuite de ce religieux amena le pillage de tout ce qui avait été laissé à son usage et l'avidité des sacrilèges n'épargna rien dans ce lieu : portes, bois, fer, tout fut enlevé. On accusa à juste titre les habitants d'une commune voisine et on commença contre eux une enquête, mais soit pusillanimité de la part des magistrats, soit que le gouvernement voulût enhardir les misérables, toutes poursuites cessèrent et le pillage resta impuni » (Faillon).

Selon une autre version des faits, ce furent le « décemvir » Barras et le conventionnel Fréron qui pillèrent le site, mirent le feu aux bâtiments et saccagèrent les abords de la grotte pour effacer tout souvenir de ce « repaire de la superstition ». Dans le même temps, la Sainte-Baume prenait le nom de *Thermopyles,* quand Saint-Maximin était rebaptisé *Marathon*.

Après la Révolution, des efforts furent consentis pour remettre en ordre la grotte saccagée. Mais elle fut de nouveau mise à sac par les soldats indisciplinés du maréchal Brune en 1815. L'année suivante, le préfet de Villeneuve-Bargemont dressera un état des lieux bien attristant : « Aujourd'hui, tout est solitaire et silencieux, la cloche de la colline est muette, le chant des cantiques a cessé, la voix humaine ne se fait plus entendre et les oiseaux sont les seuls habitants de la forêt du désert qui en fassent résonner les échos. Le berger qui garde son troupeau, l'avide bûcheron dont l'existence se calcule sur la destruction des rejetons des tiges jadis inviolables, le botaniste ou le dessinateur, quelquefois le garde forestier ou le gendarme protecteur, le Français qui vient verser quelques larmes sur les ruines de ce monument religieux et national, et un ermite enfin, à qui en est confiée la garde, tels sont les seuls hommes qu'on rencontre dans ces lieux sauvages, excepté néanmoins le jour de la fête [lundi de Pentecôte], époque à laquelle une dévotion peuple ce désert d'une foule innombrable d'individus de tout sexe, de tout âge, de toutes conditions, et particulièrement les jeunes époux de l'année. »

On voit ici que, malgré l'abandon de la grotte, la Sainte-Baume demeurait un haut lieu spirituel et que cette fête annuelle annonçait un renouvellement du culte magdalénien. La grotte fut érigée en chapelle en 1821 et bénite l'année suivante, le jour de la Pentecôte, en présence de quelque 140 000 fidèles. C'est à cette époque que l'on plaça dans la grotte une statue de

Marie Madeleine, grandeur nature, que l'on vénéra à l'égal de son modèle. Seulement, celui-ci n'était pas le bon. La statue qui était censée représenter en réalité sainte Monique faisait partie d'un groupe de quatre, que le comte de Valbelle, marquis de Tourves, avait fait ériger pour entourer son propre buste en la chapelle de la Chartreuse de Montrieux. Les quatre statues, Monique, la Force, l'Espérance et la Provence, avaient été dispersées lors de la confiscation des biens d'Église en 1790. Elles étaient dues au sculpteur Fossaty, et celui-ci avait pris pour modèles de ces statues édifiantes des actrices plus pécheresses que repenties. On dit que sainte Monique avait les traits et les formes de la Clarion, comédienne et maîtresse du comte qui passait pour avoir des mœurs fort légères. Après avoir figuré sainte Monique, la Clarion se métamorphosa en sainte Madeleine quand on lui eut attribué une croix, une tête de mort et un vase d'albâtre. Ce choix, innocent sans doute, ne fut pas tout à fait étranger à l'esprit de mondanité qui présida alors au culte de la Madeleine et que l'on retrouvera dans les tableaux qui la représentent. Dans son roman, *La Sainte-Baume.* paru en 1834 Joseph d'Ortigue déplore cette transformation du refuge érémitique en chapelle d'un baroque suspect. « Malgré la difficulté de lutter contre les ouvrages de la nature, les architectes, les gens de l'art, les hommes *de bon goût,* n'ont rien oublié pour ôter à cette grotte sa physionomie sauvage et pittoresque, et pour lui donner l'apparence de ces petites chapelles mignonnes qu'on voit dans certaines églises, et qu'à leurs formes guindées, à leurs enjolivements coquets, l'on prendrait pour un boudoir ou un kiosque. Les guirlandes, les festons, les mignardises fourmillent de toutes parts et se multiplient sous les yeux comme par enchantement. Sotte présomption que celle de ces artistes qui ne connaissent d'autre nature que celle qu'ils ont revue et corrigée. »

Les dominicains, chassés par la Révolution, avaient été remplacés par des trappistes qui, eux-mêmes, durent abandonner les lieux en 1830. À leur tour, les capucins assurèrent la garde de la grotte. Deux ans plus tard, ils furent relayés par des gardiens civils. Non sans courir encore des dangers. L'un d'eux, Lambert du Plan d'Aups, fut tué d'un coup de fusil de chasse alors qu'il offrait à manger à son assassin. Sa sœur et sa nièce avaient pris la fuite, mais la première fut abattue à la sortie de la grotte et la seconde ne réussit à s'échapper qu'en se cachant derrière l'un des oratoires de la forêt.

C'est alors que Lacordaire, soucieux de restaurer l'ordre des dominicains, et fort dévoué à Marie Madeleine, prit dès 1848 l'initiative de redonner au sanctuaire son lustre ancien. À son tour il visita la grotte et dressa un état des lieux qui figure dans sa biographie de la sainte. « Tout est encore debout, mais pauvre et désolé, couvert des cicatrices du siècle qui s'est plu aux ruines comme d'autres s'étaient plu dans l'édification. On ne monte à la Sainte-Baume que par des degrés de pierre mutilés entre des murs croulants. La chambre des rois a disparu et le pèlerin le plus humble trouve à peine un abri pour se reposer du chemin. L'hospice n'a conservé que les trous où s'appuyaient dans le roc les solives de la charpente. Le couvent, restauré à la hâte, n'offre aux religieux que des cellules séparées par des planches et qu'ils partagent avec l'étranger. Entre ces deux débris s'ouvre la grotte de la Pénitence, vide elle-même des ornements qu'elle devait à la piété séculaire des peuples et des princes. » En relisant ces lignes de Lacordaire, dont la foi à la Madeleine fut absolue, on s'étonne quand même de voir un religieux déplorer l'absence de confort en un lieu dont la vertu fut justement de n'en pas avoir. Avec lui, l'Église s'extasie devant le dénuement consenti des anachorètes et n'a de cesse, dans le même temps, que de transformer leur refuge en chapelle saint-sulpicienne ! Remise à nu, dans l'état où l'a connue Madeleine, la grotte eût-elle été moins sacrée ? Mais non, il fallait à cette nudité un cadre de luxe. « Et pour que l'ornementation de la grotte ne fût pas inférieure aux magnificences passées, on mobilisa la générosité des catholiques[1]. »

Lacordaire renonça tout de même à réaménager hostellerie et couvent au flanc même de la falaise, sous la grotte. Il choisit pour ces nouveaux établissements le plateau du Plan d'Aups, d'un accès plus facile et plus propice à abriter la foule des religieux et des pèlerins. On verra, à propos de l'iconographie de la Sainte-Baume, que le choix de ce plateau n'est pas fortuit : sa configuration ressemble étonnamment à celle de l'assise rocheuse et plane de la Jérusalem mystique et mythique, telle qu'on la représente habituellement.

Le père Lacordaire ne vit pas son œuvre achevée. À peine eut-il le temps d'inaugurer le premier bâtiment de la nouvelle hostellerie qu'ayant « brisé sur le tombeau de Marie Madeleine le faible vase de ses pensées », il rendit l'âme en 1862. Il revint au célèbre Mgr Dupanloup de poursuivre les travaux, au plus fort de la crise religieuse de la fin de siècle. Comme de parfaire l'aménagement de la grotte dans le goût du temps. L'héritage est lourd. De nos jours encore, il est contesté par certains qui en déplorent l'apparat. En 1980, le père dominicain gardien de la grotte avouait désirer redonner au « rocher » sa véritable nature : « L'habillage de pierre dont on l'a revêtu au XIX$^{e}$ siècle est un véritable sacrilège. Il ne faut pas oublier que depuis les

1. Ph. André-Vincent, *La Sainte-Baume,* Laffont, 1950.

temps les plus reculés cette grotte fut un lieu sacré à cause justement de cette roche dressée et de la source qui jaillit juste à côté. L'un et l'autre symbolisant la fécondité dans un double aspect du sexe masculin et féminin. C'est sur cette pierre dressée que la tradition chrétienne s'est plu à contempler Marie-Madeleine vivant en ermite… Et c'est pourquoi, ajoutait-il, j'aimerais l'entourer, comme c'était le cas autrefois, d'un cercle de vingt et une lampes à huile. »

## *Les pèlerinages*

Dès que fut affirmée, à la fin du XIIe siècle, la présence de Marie Madeleine au cœur de la Sainte-Baume, s'organisèrent les premiers pèlerinages individuels à la Grotte. Ils n'ont pas cessé. En huit siècles, quelque quarante souverains et quinze papes feront l'ascension de la montagne sacrée, sans compter les personnages célèbres à plus d'un titre. Tous n'ont pas porté témoignage de leur séjour, mais nous disposons tout de même de nombreuses relations qui confortent la dévotion universelle à la sainte et nous renseignent sur l'état des lieux et les conditions du voyage.

Le premier de ces pèlerins qui nous soit connu est un frère mineur natif de Parme, Fra Salimbene de Adam. Ce franciscain monte à la Sainte-Baume et y dort dans la nuit du 22 juillet 1248, jour accordé déjà à la fête de Marie Madeleine. Le récit de son expédition est heureusement parvenu jusqu'à nous [1]:

« La caverne où sainte Marie Madeleine a fait pénitence est à quinze milles de Marseille. Elle est située dans

---

1. Voir Olivier Guyotjeannin, *Salimbene de Adam, un chroniqueur franciscain,* éd. Turnhout, Brepols, 1995 (Compte rendu dans *L'Histoire,* n° 198.)

un rocher très élevé et assez vaste pour contenir mille personnes. Il y a trois autels et une source pareille à la fontaine de Siloë. Il y a un très beau chemin pour y arriver. En dehors, près de la grotte, est une église desservie par un prêtre. Au-dessus, la montagne est encore aussi élevée que le baptistère de Parme, et la grotte elle-même se trouve à une telle hauteur dans les rochers que les trois tours des Asinelli de Bologne ne pourraient y atteindre. Les grands arbres de la forêt semblent, d'en haut, de l'ortie ou de la sauge. Et comme la contrée est déshabitée et déserte, les femmes et les nobles dames de Marseille, quand elles y viennent par dévotion, ont soin de conduire avec elles des ânes qui portent du pain, du vin, des poissons, des tourtes et autres provisions dont elles ont besoin.»

Ce témoignage est précieux parce qu'il suggère que ce pèlerinage n'est pas exceptionnel et que le prêtre promu à la garde du sanctuaire est habitué à de telles visites, individuelles ou collectives.

C'est le temps des croisades, et la Sainte-Baume est désormais une étape obligée sur la route qui mène à la récupération des Saints Lieux. Ce fut le cas pour Saint Louis en juillet 1254, au retour de sa première expédition en Terre sainte. Il était accompagné du sire de Joinville qui nota soigneusement : « Le roi se partit d'Hères et s'en vint en la cité d'Aix en Provence, pour l'honneur de la benoîte Magdalaine qui gisoit à une petite journée près, et fusmes au lieu de la Basme en une roche moult hault, là où on disoit que la sainte Magdalaine avoit vescu en hermitage longue espace de temps. »

Au XIVe siècle, les pèlerinages royaux se multiplièrent. En 1332, rapporte l'abbé Faillon, on vit arriver à la fois cinq monarques, « suivis du cortège le plus nombreux et le plus brillant qu'on eût jamais vu dans le pays » : on y reconnut Philippe de Valois, roi de France, Alphonse IV, roi d'Aragon, Hugues IV, roi de Chypre, Jean de Luxembourg, roi de Bohême, et Robert, roi de Sicile.

Les poètes ne furent pas en reste. En 1368, Pétrarque, familier de ces lieux relativement proches de sa thébaïde vauclusienne, se rendit à la chartreuse de Montrieux, où l'un de ses frères était moine, et monta au sommet de la Sainte-Baume où il laissa cette inscription gravée dans le marbre : « Ce lieu est saint et vénérable et il n'est pas indigne qu'on vienne le visiter, même de loin. Je me souviens d'y être allé souvent et d'y avoir passé autrefois trois jours et trois nuits, non sans avoir goûté des délices bien différentes de celles qu'on trouve dans les villes[1]. » Dans un chant consacré à Marie Madeleine[2], il exprima sa dévotion envers la sainte : « Toi qui passas deux ou trois lustres loin des préoccupations de ce monde, dans la grotte que voici, te contentant durant une longue période des nourritures divines et de la rosée salutaire. Cette demeure, suite de caves humides d'où vient l'eau terrifiante et ténébreuse, avait surpassé les palais dorés des rois, toutes les voluptés et les plus riches moissons. Ici, recluse de ton plein gré, habillée de tes longs cheveux, dépourvue de toute autre vêture, tu affrontas trois fois dix décembres, dit-on, insensible au gel et inaccessible à la peur. De fait, l'amour et l'espoir fichés au tréfonds de ton cœur adoucirent faim, froid et même la dure couche de pierre. » On notera le ton d'admiration avec lequel le poète de la *Vita solitaria* parle de la vie érémitique à laquelle lui-même aspira sans toutefois se résoudre à abandonner tout à fait les plaisirs de l'amour profane et le confort d'un cabanon au bord de la Sorgue.

1. *De Vita solitaria.*
2. *Carmen de Beata Maria Magdalena.*

Au XVe siècle, les rois continuent d'honorer de leur présence la montagne sacralisée. On y rencontre aussi des pèlerins moins illustres mais plus grands voyageurs qui nous ont laissé des relations très détaillées de leurs pérégrinations à la Sainte-Baume. Ainsi de Hans von Waltheym dont le journal, récemment redécouvert, a fait l'objet d'un ensemble d'études publiées sous la direction de Noël Coulet dans la revue *Provence historique*[1]. Né en 1422 dans la ville allemande de Halle, où il exerce la profession de « marchand du sel », il entreprend en 1474 un long voyage dans le sud de la France et en Provence. Par la vallée du Rhône, il gagne Orange, Avignon puis Aix où il arrive en avril. Le 22 de ce mois, il est à Saint-Maximin, le 25 dans la Sainte-Baume. Son périple qu'il place sous l'évocation de Marie Madeleine (et son entreprise témoigne de l'implantation du culte en Allemagne) le conduit ensuite à Arles et aux Saintes-Maries-de-la-Mer. Il se sert du latin comme langue véhiculaire mais se fait accompagner d'un interprète.

Sa visite des lieux saints commence par Saint-Maximin où « repose corporellement la très sainte princesse et dame Marie Madeleine, la grande amoureuse de Dieu, la grande pénitente et fidèle salvatrice ». Il consigne soigneusement l'état des lieux. « Près de l'autel, il y a une porte. On descend dans un caveau et une chapelle où se trouvent Marie Madeleine et d'autres saintes. Il y a en effet sept tombeaux et, sur la porte ci-dessus nommée, est suspendu un écriteau sur lequel il est écrit que dans la chapelle ne peut entrer aucune femme ni jeune fille. » Puis il descend dans la crypte où est conservé le chef de la sainte « travaillé dans l'or, l'argent et les pierres précieuses ». Quelques

1. Tome XLI, fascicule 166, décembre 1961.

jours plus tard, il assiste à l'ostension de cette relique, présentée le dimanche dans le chœur de la basilique. Il en est tout impressionné : « En vérité, c'est une vraiment grosse tête et on peut voir qu'elle a été une grande et belle princesse. » Il constate la présence du *Noli me tangere,* et note que « toute la chair qui était sur la tête est complètement putréfiée, sauf sur le front où il y a de la chair et de la peau ». Il remarque en passant ce détail incongru : « Dans la tête de Marie Madeleine il y a encore toutes ses dents. Aucune n'est tombée. Mais ces dents bénies, elle les a beaucoup utilisées à manger, de sorte qu'elles sont devenues larges. » La sainte dentition a depuis disparu (pieusement dérobée sans doute) et les anthropologues modernes seront bien en peine de tirer de cette mâchoire vide des indications précises sur les herbes dont se nourrissait la recluse. On lui montre également un bras de la sainte, ainsi que des cheveux « beaux, jaunes et agréables » que l'on conserve dans trois grands ostensoirs. Enfin, aux marchands du temple, il achète quarante-quatre ceintures de soie censées faciliter l'accouchement des parturientes, des raclures du tombeau que l'on nomme « plumes de duvet », un gros morceau du même tombeau cassé au burin, et enfin une grotte miniature « moulée dans la cire et du charbon, et peinte », forme première de la crèche provençale.

Le lundi de la fête de Saint-Marc, après la messe basse, il part avec son écuyer pour la Sainte-Baume. « La Baume, note-t-il, est la montagne où il y a le trou et la grotte où sainte Marie Madeleine, à l'insu de tous, a passé trente-deux ans sans manger ni boire. » Waltheym est l'un des premiers à souligner ce thème récurrent de la légende : la recluse soutenue des seules nourritures célestes. « La montagne, ajoute-t-il, est un grand rocher et un mont chauve. » Parvenu au sommet, il monte d'abord au Saint-Pilon. « La petite chapelle est construite si près du bord de la montagne que le chemin pour en faire le tour ne dépasse pas de beaucoup les deux aunes [environ 2, 40 m]. On dit aussi que celui qui fait neuf fois le tour de la chapelle gagne grâce et absolution. Moi, j'en aurais bien fait le tour. Quand je commençai, je me tins à la chapelle, mais après avoir avancé de deux aunes, je dus faire demi-tour car c'était vert et jaune devant mes yeux [il a visiblement le vertige]. Je ne pus achever d'en faire le tour car la montagne est si épouvantablement haute et si immensément profonde à regarder qu'on ne peut dire. Une fois, un homme est tombé ; il se brisa en mille morceaux. Même chose pour un chien, ainsi qu'on nous le rapporta. Mais mon écuyer fit sept fois le tour.» Il faut espérer que l'exploit de l'écuyer valut à son maître les grâces désirées.

Waltheym se rend ensuite à l'antre sacré qu'il décrit avec précision. « Dans le rocher lisse, il y a un trou et grotte qui est à l'intérieur en pierre naturelle, comme une voûte, et fait cinquante de mes pas, et est si large que trois beaux autels y sont construits. Il y a au-dessus encore autant de place que dans les églises. Près du maître-autel, à main gauche, il y a un mur bâti, et dedans une porte en fer que le prieur ferme. C'est la chambre de Marie Madeleine dans laquelle elle a vécu trente-deux ans. Personne ne peut y entrer si ce n'est un prêtre consacré. À l'endroit où Marie Madeleine était couchée, il y a un portrait taillé et le corps de la sainte comme si elle dormait et reposait… Sur le rocher [devant la grotte] il y a un petit couvent avec une pièce et des chambres et logis, comme un nid d'hirondelle, et le trou est si haut dans le rocher qu'on a construit des marches que l'on doit monter. Il y en a cent avant d'atteindre le couvent… Sous la montagne sont construites de grandes écuries où les frères mettent leurs chevaux. Il y a des palefreniers qui soignent les chevaux et leur donnent foin et avoine...» À la fin de la visite, « nous allâmes dans une pièce où nous eûmes assez de bons poissons et d'œufs à manger et assez de bon vin rouge et blanc. Ces nourritures, le prieur les fait venir de Saint-Maximin par mules et bêtes de somme. » On voit que les pèlerins sont fort bien accueillis et réconfortés.

La première partie de son pèlerinage achevée, Waltheym gagne Marseille par Aubagne, puis Arles et les Saintes-Maries dont il est le premier à donner une description. Vingt ans après lui, soit en 1495, le docteur Jerome Munzer, qui signe modestement Hieronymus Monasterius, médecin de Nuremberg où il est né en 1437, fuit sa ville menacée par la peste qui ravage cette partie de l'Allemagne. Curieux médecin qui, plutôt que de rester pour soigner ses concitoyens, reconnaît qu'il préfère l'invocation de Marie Madeleine à l'efficacité de ses propres remèdes. Avec trois compagnons, il pérégrine lui aussi dans le midi de la France et, suivant la même route que son prédécesseur, gagne Aix et Saint-Maximin. Après avoir visité la basilique et honoré les reliques de la sainte, il monte à la Sainte-Baume le 8 septembre. « Quittant le village de Saint-Maximin par une voie montante et malaisée, nous gagnâmes à trente-cinq lieues de là, le lieu de sa pénitence. Entre des monts, il en est un des plus élevés dont le sommet touche aux nuages. » Il note qu'au pied de la montagne, « il y a une grande forêt pleine de hêtres, chênes, ifs, tamaris, dont les troncs sont si grands qu'un seul homme ne peut les embrasser ». À la description de la grotte, qui recoupe celle de Waltheym dont il n'a évidemment pas connaissance, il ajoute l'ingéniosité avec laquelle les dominicains ont réussi à implanter leur monastère dans les anfractuosités de la roche. Il donne aussi d'autres détails sur la source de la grotte : « Derrière le grand autel il y a de l'eau qui coule, très douce et, pour la région, très froide. Le site est en effet tourné au nord, de telle sorte que, lorsque le soleil est sous le signe hivernal, nuages, pluies et neiges cernent le mont de façon pénible. Néanmoins, grâce à la charité divine, point trop refroidis sont ceux qui demeurent là et supportent cela pour l'amour de sainte Madeleine. »

En 1516, c'est François Ier qui, tout fier d'avoir vaincu les Suisses à Marignan, s'arrêta à la Sainte-Baume lors de son voyage de retour. Est-ce vraiment la foi qui le conduisit là ? On dit que, de passage deux jours plus tôt à Manosque, il tenta de séduire la fille d'un consul qui, pour échapper au désir royal, préféra se brûler le visage avec du soufre. Et c'est peut-être en expiation de ce regrettable fait divers que le souverain s'engagea à « faire réparer l'église de la Baume où la benoîte Magdelaine faisoit sa pénitence, et le logis et couvent des frères qui y sont, lesquels sont fort caducs et demolis ». Le roi était accompagné de sa femme, la reine Claude, de sa mère Louise de Savoie, et de sa sœur Marguerite d'Alençon. Ces princesses, dont le train d'équipage – quelque 1 500 chevaux – ne manqua pas d'impressionner les riverains, ne purent pénétrer dans la crypte de Saint-Maximin, l'entrée étant interdite aux femmes.

Il faut s'arrêter un instant sur cet interdit qui ferme aux femmes la porte du sanctuaire quand c'est justement l'une d'entre elles qu'on y vénère. Le christianisme, comme toutes les religions, est une affaire d'homme. Et c'est lui qui décide des modalités du culte. L'Église, de même qu'elle refuse aux femmes l'accès à la prêtrise, les tient éloignées des lieux saints. À Saint-Maximin, la tradition est respectée depuis la fondation de la basilique. « Aucune femme, dit l'abbé Faillon, de quelque dignité qu'elle fût, n'était jamais entrée dans cette église. » Entendez l'église basse, c'est-à-dire la crypte où étaient conservées les reliques. Même les reines n'y pouvaient entrer. Quand la mère, la sœur et la femme de François Ier visitèrent ce haut lieu, elles « se conformèrent à l'usage inviolablement observé jusque-là ». Le roi et les seigneurs descendirent seuls dans la crypte et, quand ils eurent satisfait leur dévotion, « on porta le chef et la châsse de la sainte dans l'église supérieure afin de les faire vénérer aux princesses ».

Il faudra attendre la seconde moitié du XVIIe siècle pour que ce tabou soit levé. Le même abbé Faillon rapporte que, lors du pèlerinage de Louis XIV à la Sainte-Baume et à Saint-Maximin, le roi « assista à la sainte messe qui fut célébrée au maître-autel, tandis que de son côté la reine assistait à une autre messe dans la crypte de sainte Madeleine. On voit par cet exemple que l'usage ancien qui défendait aux femmes l'entrée de la crypte avait été aboli. En effet, les religieux, qui étaient obligés de transporter la châsse dans l'église supérieure, lorsque les dames de qualité les en priaient instamment, voyant que ces occasions devenaient très fréquentes et craignant qu'en transportant ainsi la châsse on la laissât tomber dans l'escalier qu'il fallait parcourir, se relâchèrent insensiblement et permirent aux femmes l'entrée de la crypte. L'interruption de l'usage ancien concernant les femmes fut cause sans doute que l'on ôta de l'entrée de la crypte deux inscriptions, l'une en latin, l'autre en provençal, destinées à faire connaître aux pèlerins cette coutume immémoriale ».

Mais reprenons la chronologie de ces pèlerinages spectaculaires. En 1564, c'est Charles IX qui se rend à la Sainte-Baume. Selon son historiographe, « le roi partit d'Aix le vingt-quatrième jour d'octobre pour aller passer un fâcheux pays de rochers et alla dîner à Pourrières, petit village et beau château, et coucher à Saint-Maximin, belle petite ville et belle abbaye, en laquelle est en sépulture le corps de la sainte Marie Madeleine. Et le mercredi [le lendemain] le roi alla passer de fort hautes et fâcheuses montagnes pour dîner à la Sainte-Baume qui est une petite abbaye de religieux, ancrée au milieu d'un rocher fort haut et est le lieu où la sainte faisait sa pénitence ». On a de ce pèlerinage un autre témoignage contemporain, celui de César de Nostredame, fils du prophète et historien passionnel de la Provence. « Sa Majesté visita la sainte et tant célèbre Baulme où Madeleine fit sa dévotion, louant grandement la solitude du lieu et que le choix que cette grande sainte avait fait de cette creuse et humide roche.»

En 1623, dans un ouvrage intitulé *La Vie, la Conversion et la Pénitence de sainte Madeleine,* le père Pichot, minime, décrit l'ascension d'un prélat, Paul Hurault de l'Hôpital, archevêque d'Aix : « Comme Monseigneur eut fait sa dévotion à Saint-Maximin et visité les saintes reliques, se profondant en larmes fort longtemps, quoique harassé, tant du chemin que pour sa délicatesse, le lendemain au matin voulut s'acheminer au lieu de la pénitence et dans la grotte, L'évêque de Sisteron et le seigneur de Peinières, voyant sa peine et travail qui était excessif, pour être ses pieds agacés et foulés avec ampoules, voulaient à force de prières et supplications le faire monter à cheval, ce qu'il refusa. » On a les saintes ampoules qu'on mérite. Ce document souligne en tout cas les difficultés du voyage.

Ascension d'autant pénible qu'elle a lieu en hiver. C'est au début de février 1660 que le Roi-Soleil affronte les rigueurs d'une Sainte-Baume hivernale. Toujours selon l'abbé Faillon, « le roi, la reine et leur suite, qui avaient passé la nuit à Saint-Maximin, partirent en carrosse pour la Sainte-Baume. Arrivés à Nans, ils mirent pied à terre. Le roi, étant monté à cheval, gravit hardiment la montagne couverte de neige et de glaçons [...]. La chevauchée fut si rude que Louis XIV en fut tout mouillé et qu'il fallut lui faire changer de chemise. Il alla droit au Saint-Pilon, d'où il descendit à pied jusqu'au premier oratoire et, de là, se rendit à la grotte. Et pendant qu'il faisait ses dévotions, la reine [mère], portée dans une chaise, arriva avec grande fatigue et durant un temps fort rude. Louis XIV resta environ deux heures et vit en détail toutes les particularités de ce saint lieu. Bien plus, pour honorer la pénitence de la sainte, ni lui ni la reine sa mère ne voulurent user d'aliments gras dans un lieu si vénéré, quoique ce fût un jour de jeudi gras, et ils se remirent en marche avec toute la cour et allèrent dîner, non sans beaucoup d'incommodités, au village de Nans. » Sans doute, le roi, par dévotion, eût-il pu se contenter d'un frugal repas chez les frères de l'hôtellerie, mais l'effort de cette escalade avait dû lui ouvrir singulièrement l'appétit.

La Révolution mit un frein aux dévots élans des souverains français. Après la guerre de 1870 et la Commune, en ces années d'« expiation nationale », on vit surtout dans la Sainte-Baume des princes et des princesses, des ducs et des duchesses, tout ce beau monde dont la fleur devait périr carbonisée dans l'incendie du Bazar de la Charité en 1897.

Outre les papes et les rois, se distinguèrent, parmi les pèlerins illustres de la Sainte-Baume, des saints et des saintes qui, bien avant leur canonisation, manifestèrent un attachement particulier à ce ressourcement. Le XIVe siècle, par exemple, fut une époque où la femme recouvra officiellement la parole et les religieuses furent nombreuses à venir rendre hommage à Marie Madeleine : Catherine de Sienne, Brigitte de Suède, Ursuline de Parme, entre autres visionnaires et prophétesses. Parmi les laïques, mondaines repenties, qui sacrifièrent à cette rude escalade pour expier leurs péchés mignons, il faut citer Ève Lavallière.

À l'époque moderne, le plus illustre des pèlerins est Charles de Foucauld qui manifesta un attachement particulier au désert de la Sainte-Baume. Il y monta trois fois, en 1900, 1901 et 1913. Quatre ex-voto témoignent encore de sa fidélité à la sainte.

Aux pèlerinages individuels des grands de ce monde s'ajoutaient naturellement les manifestations populaires et collectives, et ce depuis les débuts du culte officiel. Dès 1220, l'inscription de la Nunziatella atteste la dévotion des pèlerins italiens à la Sainte-Baume. Au cours des siècles, ces voyages organisés ne cessèrent de drainer en ce haut lieu des foules considérables. Les textes parlent d'une « multitude de pèlerins ». Nombreux étaient ceux qui venaient de pays étrangers. Mais à la fin du XIX^e siècle, le pèlerinage se teinta de régionalisme, fidèle à la tradition provençale des Saintes-Maries. Les félibres, Mistral en tête avec ses compagnons en poésie, Roumanille et Aubanel, firent l'ascension du mont chauve. Dès lors, et jusque dans les années qui ont suivi la Seconde Guerre mondiale, le cortège des pèlerins en pantalon et chemise blancs, ceinturés de la taillole rouge, s'ébranla au son des galoubets et des tambourins.

Ces randonnées religieuses eurent parfois un caractère écologique. C'est ainsi qu'on peut lire dans les archives de la ville d'Auriol : « Depuis douze ans (1790), la grotte de la Sainte-Baume était minée, sa maison incendiée, et le chemin devenu torrent impraticable. À l'appel du curé, tous sont volontaires. Il refuse les femmes, mais, tandis que les hommes et les jeunes gens y passent de longues journées, il assure le ravitaillement. Enfin, un an après, pour la Sainte-Madeleine, tout le monde monte en pèlerinage. Les hommes veulent montrer à leurs épouses les tas de pierres qu'ils ont amoncelés. En vain : le cerfeuil et la belladonne, la fougère et l'ellébore ont couvert les remblais d'un magnifique tapis de verdure et, dans la grotte, le curé glissa au sermon : « Mes frères, imitez la nature et couvrez du manteau de la charité les défauts du prochain… »

Le pèlerinage à la Sainte-Baume a également revêtu un caractère politique. En 1874, la France catholique, meurtrie et vexée (comme on disait alors) invente l'année de la pénitence qu'elle soumet à Marie Madeleine. À cette occasion, l'évêque de Fréjus prononce un discours récupérateur : « Seigneur, celle que vous aimiez comme la fille aînée de votre Église est bien malade. De la plante des pieds au sommet de la tête, il n'y a en elle que des plaies. Encore un peu de temps et, si vous n'êtes pas là pour l'empêcher de mourir, cette nation sera la proie de la mort. » Pour obtenir grâce et merci pour la nation coupable, le pèlerinage de la Sainte-Baume devient celui de la pénitence et de la rédemption nationales.

Jusqu'aux « désastres » de 1793, on conservait dans le couvent de la Sainte-Baume un registre, appelé *Le Journalier,* sur lequel étaient inscrits les noms des personnes de distinction qui avaient visité la grotte. Il a disparu dans la tourmente révolutionnaire, mais copie en a été donnée par de Haitze[1].

De nos jours, la foule de pèlerins ne cesse d'augmenter de façon spectaculaire. Chaque année 500 000 visiteurs selon les organisateurs, 200 000 selon les autorités compétentes, manifestent leur dévotion au lieu sacré et à son illustre hôtesse. Depuis 1962, une hostellerie les accueille, plus particulièrement lors des grandes fêtes patronales du lundi de Pentecôte et du mois de juillet. Un Centre international de la Sainte-Baume est un heureux asile de réflexion et de documentation.

1. Pierre-Joseph de Haitze (1656-1737), historien provençal auteur d'une *Histoire d'Aix.*

À propos des pèlerinages modernes, on me pardonnera cette remarque : de même qu'on a pu regretter qu'un lieu si favorablement austère à la méditation soit transformé en chapelle saint-sulpicienne, on pourra trouver quelque abus dans ce souci de faire venir en ce lieu voué à la solitude le plus grand nombre possible de visiteurs. Sans rien dire de la pollution que provoque ce tourisme de masse, abandonnant à la forêt les restes de ses pique-niques et sur les troncs des arbres des graffiti, des cœurs percés de flèches qui n'ont rien de mystique, et des prénoms de romans-photos. Sans rien dire non plus des architectes qui ont conçu les bâtiments hospitaliers.

Chapitre V

# CROYANCES POPULAIRES ET FANTASMES COLLECTIFS

## *Apparitions de Marie Madeleine*

Si nombreux que furent ces dévots qui vinrent à Marie Madeleine, il en est quelques-uns vers qui Marie Madeleine est venue en leur apparaissant physiquement. On a déjà évoqué les visions du père Élie, cet ermite de la nuit des temps. Au XIIIe siècle, la contemplative Marguerite de Cortone, un jour qu'elle était elle-même ravie en extase, vit distinctement la pénitente repentie, revêtue d'un manteau d'argent, le front ceint d'une couronne enrichie de pierreries et escortée d'une multitude d'esprits célestes. L'image est loin d'être celle d'une anachorète dont la vie quotidienne est bien en dessous du seuil de précarité. En fait, Madeleine confia à Marguerite que la richesse et la gloire dont elle jouissait dans le ciel n'étaient que la récompense des rigueurs qu'elle s'était imposées dans sa grotte. Un siècle plus tard, ce fut au tour de sainte Catherine de Sienne de bénéficier de ces apparitions. Les bollandistes racontent que Marie Madeleine lui parlait familièrement de ses ravissements et comme d'un phénomène tout naturel.

On a plus de détails en ce qui concerne les visions de Catherine Emmerich, la vénérable qui, dans le cloître allemand d'Agnetenberg, reçut entre 1803 et 1811 la visite de la sainte. Il va sans dire que cette nonne n'est jamais venue en Provence et ignorait tout de la Sainte-Baume. Ce qui donne quelque poids à son récit : « Madeleine était dans une grotte presque inaccessible et elle faisait une rude pénitence. Sa grotte était dans une montagne sauvage dont les sommets faisaient de loin l'effet de deux tours penchées. Cette grotte s'appuyait sur des piliers formés par la nature et il y avait dans les parois des trous où l'on pouvait placer divers objets. Il s'y trouvait un autel de gazon surmonté d'une grande croix formée naturellement par des branches qui avaient poussé là. La couche de Madeleine n'était pas dans la grotte, mais à côté, dans une paroi de rocher où elle l'avait taillée elle-même. C'était comme un tombeau pratiqué dans la montagne et on pouvait le fermer avec une porte en clayonnage. Elle n'était pas facile à trouver. Je vis Madeleine étendue sur cette couche après sa mort. Elle était couverte d'un vêtement de feuilles et portait sur la tête une sorte de bonnet fait aussi avec des feuilles. Ses cheveux étaient roulés autour de sa tête, une partie seulement retombait derrière le cou. Elle était couchée sur le dos et tenait une croix entre ses bras qui étaient croisés sur sa poitrine. Elle n'était pas maigre, elle avait plutôt de l'embonpoint, seulement sa peau était brunie et durcie par les intempéries de l'air. Il y avait par terre auprès d'elle deux petits plats d'argile fort propres. La porte qui fermait la couche avait été retirée. Je vis arriver deux ermites portant des bâtons entre lesquels une grande couverture était assujettie avec des cordes. Ils enveloppèrent décemment le corps et le portèrent assez loin de là au couvent de Sainte-Marthe [1]. »

---

1. Cité dans *La Vie de Notre-Seigneur Jésus-Christ d'après les visions de Anne-Catherine Emmerich,* par Clemens Brentano, traduite par l'abbé de Cazalès, Paris, 1861.

Que Catherine Emmerich ait distinctement reconnu le paysage de la Sainte-Baume sans l'avoir jamais vu peut s'expliquer par le souvenir inconscient de lectures, la contemplation de tableaux religieux dont le « décor » était celui d'une pareille montagne, ou l'attention prêtée à des prêches (il ne faut pas oublier l'importance du culte de la Madeleine en Allemagne). La Sainte-Baume, elle, existe bel et bien, décrite justement par les pèlerins allemands comme Waltheym. Un siècle plus tard, une autre visionnaire allemande, Thérèse Neumann de Konnersreuth, dit avoir assisté visuellement aux événements que relate la tradition et concernant la première partie de la geste magdalénienne. « Thérèse vit Madeleine avec deux autres femmes et deux hommes jetés dans une barque sans voiles ni gouvernail, envoyés à la dérive sur la mer. Ils étaient promis à une mort inéluctable. Une tempête s'éleva et Thérèse, en proie à la terreur, voyait le bateau ballotté par les flots[1]... » Au contraire de la Sainte-Baume, la navigation de Madeleine n'a pas de réalité. Thérèse voit se dérouler un fait légendaire, non un événement historique.

Quelque temps après cette première vision, Thérèse « vit la grotte. Elle regarda par une fente dans la *chambre de pierre* et vit Madeleine, une très vieille femme, élevée en extase au-dessus du sol ; puis son corps tomba à terre et son âme prit son essor vers le Ciel avec son Rédempteur [...] Après quoi, Thérèse, parlant comme un petit enfant, commença une conversation avec Notre-Seigneur. Elle le supplia de lui donner la *petite chambre* qui avait appartenu à Marie Madeleine et dont elle n'avait plus besoin ; cela lui conviendrait parfaitement à elle, Thérèse : il y avait de l'eau pour faire sa toilette ; bien sûr, il faudrait apporter un poêle, une table, un lit... » Elle ajouta que

1. H. Thurston, *Les Phénomènes physiques du mysticisme, op. cit.*

l'entrée de la grotte était étroite et qu'une personne dodue comme sa mère ne pourrait y pénétrer…

Cette fois encore, Thérèse Neumann pouvait bénéficier d'une vision hypnagogique ou onirique du paysage de la Sainte-Baume, de la grotte et de la lévitation de Madeleine, formée à partir de lectures qui l'auraient impressionnée. Mais elle dit *voir* le ravissement de l'âme de la pénitente. Dans sa bouche, qui parle comme celle d'un enfant quand elle est en transe, ce n'est pas une image mystique ou poétique mais un « objet » réel. Après tout, certains tableaux religieux *montrent* effectivement une âme (ou un esprit, ou un démon) sortir du corps d'un saint personnage sous la *forme* d'un petit ange ailé… On aura noté au passage que la visionnaire a tout de même des soucis de confort et souhaite meubler convenablement sa nouvelle cellule.

## *Un théâtre d'exorcismes*

Dans les premières années du règne de Louis XIII, la Saint-Baume devint le théâtre d'un spectacle extraordinaire qui eut un grand éclat dans tout le royaume : les séances d'exorcisme auxquelles furent soumis une jeune fille, Madeleine de Demandolx de la Palud, et son confesseur séducteur, l'abbé Gaufridy. Tous deux étaient soupçonnés de commerce avec le diable. En cette époque fertile en procès de sorcellerie, les gens d'Église ne trouvèrent pas d'endroit plus convenable à ces exorcismes que ce haut lieu du repentir et de la pénitence. Dans l'esprit du grand inquisiteur du moment, le père Michaëlis, « la Sainte-Baume était aussi terrible aux démons qu'elle était chère et vénérable aux serviteurs de Dieu. Les esprits de malice la maudissaient parce que, dans ce lieu, ils avaient été contraints de dévoiler la vérité malgré eux ; cette grotte, et surtout la Sainte-Pénitence, leur était plus insupportable que l'enfer, les magiciens ne pouvaient jeter ni charmes ni maléfices dans ce saint lieu où l'on n'entrait que pieds nus, où, surtout, la pécheresse avait expié ses débordements charnels. L'inquisiteur ne pouvait oublier que, du corps de Marie Madeleine, le Christ avait fait sortir sept démons. Nul doute qu'à son tour il pût extirper le diable de celui de cette nouvelle pécheresse, à point nommée Madeleine.

L'affaire Gaufridy a été abondamment rapportée par J. Lorédan dans *Un grand procès de sorcellerie au XVII^e siècle* (1912) et plus récemment dans le très beau récit de Raymond Jean, *La Fontaine obscure*[1]. Mais il faudrait lire en entier l'*Histoire admirable de la possession d'une Pénitente séduite par un Magicien, la faisant sorcière et Princesse des sorciers au pays de Provence,* écrite et publiée en 1615 par le père Sébastien Michaëlis. Ce religieux redoutable, réformateur convaincu de l'ordre de Saint-Dominique, pour lors prieur du couvent de Saint-Maximin et grand inquisiteur de la foi à Avignon, était un furieux chasseur de sorciers qu'il faisait condamner et exécuter à tour de bras séculier. En 1610, il est confronté à un cas de possession qui va le rendre à jamais célèbre.

À cette époque, un jeune abbé, bénéficiaire de l'église des Accoules à Marseille, se plaisait dans la compagnie des femmes qu'il appelait ses filles spirituelles. La rumeur voulait que sur cette jolie place des Accoules, les paroissiennes vinssent, le soir, bavarder longuement avec leur curé et que, la nuit tombante, ces conversations quittassent leur caractère innocent. L'abbé Gaufridy, bien de sa personne et fort attaché au beau sexe, entouré, choyé par

1. Éditions du Seuil, 1976.

ces dames, se laissait aller à les inviter dans sa demeure de la vieille ville. C'est ainsi qu'il rencontra une jeune fille de seize ans, Madeleine de Demandolx, belle à damner tous les saints et atteinte déjà d'une fureur utérine qu'elle assouvissait en extases et ravissements. Gaufridy proposa de l'aider ; elle en devint amoureuse. Elle faisait alors retraite chez les ursulines de Marseille. Comme elle semblait de santé chétive et tombait souvent dans des états de pâmoison, la supérieure du couvent la confessa, apprenant d'elle les familiarités qu'elle avait avec l'abbé, consistant en baisers, attouchements et autres bagatelles. C'est vrai qu'il la *soufflait,* comme il l'avouera plus tard. Le mot étonne mais on s'en accommoda. On en fit même un argument de poids. C'est qu'aux yeux de l'Église le péché charnel d'un abbé ne peut être inspiré que par le démon qui, par sa bouche, souffle le désir et enflamme les innocentes.

Innocente ou coupable, Madeleine continua de manifester des fantasmes et d'avoir des crises d'hystérie au cours desquelles elle avoua que non seulement l'abbé lui avait ravi « sa plus belle rose » mais qu'il l'avait vouée au diable. Qu'il l'avait emmenée dans une des grottes de Marseilleveyre, la baume Roland, dans laquelle il l'avait « ointe, baptisée du baptême des sorciers, marquée aux reins, au cœur, à la tête, et lui avait fait signer de son sang une cédule » ou pacte d'alliance avec le démon. Cette baume Roland, long dédale souterrain orné de stalagmites aux formes inquiétantes, a toujours passé pour un antre maléfique où, dans une « chapelle du diable » se déroulaient des sabbats de sorciers. En réalité, c'était le repaire de gueux et de bohémiens qui dansaient autour d'un feu au son d'instruments interdits.

Et c'est naturellement dans une autre grotte, sacrée celle-là, que les autorités religieuses compétentes, c'est-à-dire l'Inquisition en la personne de Michaëlis, s'avisèrent qu'il fallait exorciser cette possédée. En septembre 1610, elles firent transporter Madeleine au sommet de la Sainte-Baume, où elle fut d'abord logée dans une anfractuosité de la roche aménagée en cellule et dissimulée par le feuillage. Son séjour à la Sainte-Baume durera près de cinq mois ! Durant tout ce temps, elle subit deux séances d'exorcisme par jour, ponctuées pour elle de nouvelles crises d'épilepsie et de discours incohérents que les inquisiteurs s'efforceront, non d'endiguer mais d'interpréter selon leur intime conviction : le commerce avec le diable ne fait, pour eux, aucun doute. Ses interrogatoires ont toujours lieu en public devant une foule de plus en plus nombreuse, et de plus en plus avide d'assister à ces scènes théâtrales. Madeleine est tour à tour couverte de reliques, d'un ciboire, d'une croix. Quelquefois foulée aux pieds par les prêtres qui l'invectivent, ou invectivent le démon qui est en elle, espérant que, de cette façon, il jaillira du corps de la possédée comme un diable de sa boîte.

Dès les premières questions, Madeleine avoue sa participation aux sabbats où l'entraînait son confesseur. Elle dit tout : « Toutes les choses de la Synagogue, les sorciers convoqués par le diable au son d'un cornet, et voyageant dans l'air, les banquets, la malvoisie qu'on boit pour échauffer la chair à la luxure, les petits enfants qu'on mange, les psaumes qu'on chante comme à l'église, les danses au son des violons, et la paillardise, la sodomie, la bestialité... » (Lorédan). Les inquisiteurs en ont pour leur argent. D'autant que ces confessions se font dans un étrange climat d'hystérie collective. Les démons sont là, bien là. L'hiver dans la Sainte-Baume est propice à ce genre de manifestations que personne ne songe à nier. Les sabbats, ou charivaris comme on les appelle en Provence, se déchaînent autour de la grotte « parmi les fourrés et les roches, par les sentiers de la montagne. C'était la nuit principalement. Dans les ténèbres montaient des voix, criant haut et confusément, ressemblant à des voix d'hommes et de femmes, au-dessus de la Sainte-Baume, sans qu'on pût distinguer ce qu'elles disaient. On voyait des lumières en la plaine qui est au-dessous de la Sainte-Baume. Les unes étaient plus grosses que les autres... Ce grand vacarme venait de la synagogue des sorciers. » (Lorédan, d'après Michaëlis.) Ailleurs, on nous dit que ces magiciens, complices de Gaufridy, étaient venus invisiblement à la Sainte-Baume, « y laissaient de mauvaises senteurs et jetaient sur les uns et les autres [prêtres] onctions et poudres » (Michaëlis).

Pendant ces manifestations, Madeleine se tord sur le sol de la grotte, roule des yeux, fait des grimaces horribles, expose son arrière-train en mimant l'amour contre nature, et vocifère. En novembre, elle se croit enfin délivrée, mais par ses démons mêmes. Le soir de la Saint-André, ceux-ci tentent, *aux yeux de tous,* de l'enlever du saint lieu de la Pénitence. où elle est enfermée. Venus nombreux, ils essaient de la transporter « bien haut, voulant la tirer hors de la Sainte-Baume par une ouverture qui est au plus haut du chœur ». Mais, toujours selon Michaëlis, les cris des bons pères, en appelant au Christ, ruinent leur entreprise et ils lâchent prise. On a voulu voir dans cet événement une réelle tentative de fuite de la malheureuse. Les mécréants y trouveront plutôt l'inversion démoniaque des lévitations de Marie Madeleine.

Le 31 décembre, on fait également venir Gaufridy à la Sainte-Baume pour le confronter avec sa victime et le confondre. « Épouvanté, le visage changé et comme blême », il se laisse lier d'une étole. Il est à son tour exorcisé. En vain. Immobile comme une statue, refusant tout geste de dévotion, il nie ce dont on l'accuse. On l'enferme dans la Pénitence d'où il assiste, de loin, à la célébration de Noël. Il faut imaginer ce que dut être cette veillée calendale dans l'antre humide de la Sainte-Baume, par un froid sibérien, à la lueur des torches et dans cette atmosphère d'inquisition espagnole. Madeleine est à terre, « couchée, ayant été étourdie par le diable ».

Quelques jours plus tard, on la confronte avec son séducteur. « Elle se montra loquace, plus folle encore et plus menteuse que d'habitude, attaqua furieusement ce messire Louis [Gaufridy], se fermant les yeux afin de ne pas le voir, ce trompeur, ce magicien, cet homme détestable... » Oublieuse de l'amour qu'elle lui a porté, elle l'accable, l'accusant de l'avoir séduite, trompée, charmée, « emmenée dans ce labyrinthe » [la baume Roland]. Gaufridy proteste qu'il ne l'a pas connue charnellement, qu'il ne sait rien des charmes ni de la magie. Et « qu'il ne sortirait de la Sainte-Baume qu'il ne fût déclaré innocent ».

En fait, il sera condamné. Quittant enfin la Sainte-Baume en février, l'assemblée des juges ecclésiastiques et des pèlerins curieux redescend à Aix où on juge les amants diaboliques. Gaufridy est enfermé ; il devient fou ; il est exécuté, brûlé vif en avril 1611. Quant à Madeleine, elle est recluse en la cathédrale Saint-Sauveur. Michaëlis, satisfait d'avoir extirpé d'elle non seulement les démons mais les aveux de la culpabilité de l'abbé, la prend sous sa protection, la régale « de bouillons fortifiants, de rôties succulentes et de lénitives musiques ». Et la laisse partir pour Carpentras où, désormais, elle mène une vie édifiante. Retirée au village de Châteauvieux, dans le Var, elle y meurt en décembre 1670, soixante ans après son séjour forcé à la Sainte-Baume. Soixante ans pendant lesquels elle s'emploie à se repentir comme Marie Madeleine devenue sa patronne. Mais quand, quelques années plus tard, on ouvrira son tombeau, on y découvrira « un squelette de femme et trois squelettes d'hommes pêle-mêle ».

À propos du pouvoir exorciste des reliques de Marie Madeleine, je rappellerai que, dans son *Livre des miracles*[1], Jean Gobi l'Ancien raconte, au XIVe siècle, que les moines de Vézelay avaient donné aux dominicains de Lausanne des fragments provenant des restes de la sainte qu'ils prétendaient détenir. On avait amené devant eux un possédé, afin de le délivrer du démon. Mais le Malin était intervenu en personne, affirmant que ces reliques n'étaient pas authentiques et qu'il se refusait par conséquent à obéir à cette injonction.

## *Miracles et croyances populaires*

L'ouvrage de Jean Gobi fait état des nombreux miracles dont furent bénéficiaires prisonniers, malades, obsédés, femmes stériles, rescapés d'accidents et de catastrophes naturelles. Il rapporte de curieuses anecdotes dont celle-ci qui concerne encore l'authenticité de ces reliques :

« Rencontrant à Marseille un nommé Étienne, un certain Raymond, citoyen d'Uzès, lui raconte son pèlerinage récent à Saint-Maximin, sa visite des reliques de Marie Madeleine et le baiser donné au corps de la sainte. L'autre l'interrompt, prétend que le corps de la sainte ne repose pas là, et que le bras baisé n'est rien de plus que l'os d'un âne. Le pèlerin furieux le menace des foudres de l'Inquisition. Mais rien n'arrête le blasphémateur. Ne

1. Cet ouvrage, dû au troisième prieur dominicain du couvent de Saint-Maximin, a été récemment (1996) retrouvé « miraculeusement », traduit et réédité par Jacqueline Sclafer (Paris, CNRS). Compte rendu (et citation) de J. Berlioz, *L'Histoire,* n° 208, 1996.

pouvant supporter l'offense faite à Marie Madeleine, ni le dénigrement du lieu saint, le citoyen d'Uzès tire son épée, fond sur son interlocuteur et le tue. Réfugié à Saint-Gilles [du Gard] il sera arrêté, conduit à Marseille et condamné à être pendu. Fort heureusement, le gibet s'effondrera, bien qu'il fût quasiment neuf, et l'homme se retrouvera libre. Il se vouera alors à la sainte qu'il servira comme son serf. »

En reconnaissance de ces guérisons ou sauvetages miraculeux, d'innombrables ex-voto ornèrent la grotte de la Sainte-Baume. Au XIX^e siècle, on y vit même un crocodile empaillé pendu au plafond. C'était sans doute moins l'effigie du dragon chassé par la pénitente que l'offrande d'un voyageur échappé de quelque safari africain.

Les prodiges terrestres et célestes n'ont pas manqué de se manifester sur la montagne magique. On a déjà évoqué le tremblement de terre qui, à l'instant de la Passion, aurait provoqué l'éboulement de la falaise et l'amoncellement du chaos rocheux appelé le Canapé. Le mistral lui-même qui la frappe de plein fouet a suscité, ici comme ailleurs en Provence, des superstitions. On se souvient que Lucain, en sa *Pharsale,* prétendait que chaque jour, à midi et à minuit, tout le massif était secoué par le souffle dément d'un vent violent. C'est là la première mention de ce qui deviendra dans le folklore européen la chasse infernale, chasse à courre aérienne et maudite qui hurle de tous ses fantômes.

Mais l'inventaire des prodiges de la Sainte-Baume est loin d'être négatif. Il est particulièrement riche en rites de fécondité. Au pied de la falaise, et à l'ouest du refuge de Marie Madeleine s'ouvre la Grotte aux Œufs. Elle doit son nom à ses concrétions calcaires de forme ovoïdale. L'entrée ogivale, qui n'est pas sans évoquer l'accès du ventre maternel, est assez étroite (60 centimètres de large sur une hauteur de 6 mètres) et donne sur une salle haute et humide, divisée en trois parties. « On ne peut pénétrer dans la troisième qu'au moyen d'un flambeau, d'une échelle et d'une corde. Ceux qui ont eu la témérité d'entreprendre ce ténébreux voyage vont admirer le jeu fantastique de la lumière dans les cristallisations que présentent les saillies et les facettes du rocher », écrit J. d'Ortigue en 1834. « On dit que ces "œufs" sont ceux des vipères que Marie Madeleine aurait écrasés dès son arrivée. J'ai déjà fait remarquer que les vipères ne pondent pas, mais, tout illuminée qu'elle fût, la pénitente ne pouvait pas tout savoir. » En souvenir de cet exploit, les pèlerins rapportaient de la montagne les *ioù de la Santo Baumo* (les œufs de la Sainte-Baume), ou coucounets, petits reliquaires taillés dans des coquilles d'œufs. Dans *Calendal* de Mistral, le héros apporte à sa fée Esterelle *un capelet de bericle / dans un coucounet de reclicle / venènt dou San-Pieloun...* À l'intérieur de la coquille se dressaient de petits personnages en papier froissé et coloré.

Il était dans la tradition séculaire que les jeunes mariés montassent en pèlerinage à la Sainte-Baume. « Ce pèlerinage était pratiqué dans toute la Provence. On le stipulait souvent dans les contrats, et il était rare qu'il ne s'effectuât, car cette omission était regardée comme devant entraîner la stérilité et comme un défaut de tendresse de la part du mari. Quelques pierres placées les unes sur les autres sont le témoignage de l'accomplissement de ce vœu ; ils se nomment *castelets :* on en rencontre une grande quantité aux environs du monastère et jusqu'aux bords du Saint-Pilon.» (Faillon.)

Un autre rite de fécondité se rattache au culte des arbres de cette forêt emblématique. Les jeunes mariés qui montent à la Sainte-Baume se doivent d'embrasser ou d'enlacer le tronc du premier gros chêne qu'ils rencontrent. Ainsi auront-ils une nombreuse progéniture. Autant d'enfants que de feuilles, selon un dicton local. Mais tous les chênes n'ont pas ce pouvoir, et si l'attouchement reste sans effet, c'est que l'on s'est trompé d'arbre. Le plus célèbre de ceux-ci était le Gros Chêne, mort aujourd'hui. N'en reste que le tronc. Mais sur les cartes postales de la Belle Époque, il apparaît encore avec son corps énorme et fort évocateur, par sa forme bifurquée, d'opulentes cuisses féminines renversées.

À Saint-Maximin se faisait également le commerce d'autres objets rituels comme ces ceintures de soie que l'on mettait en contact avec les reliques de Marie Madeleine et dont se ceignaient ensuite les femmes en mal d'enfant et les parturientes : À la fin du XV^e^ siècle, le pèlerin allemand Waltheym en rapportera quarante-quatre. Il achètera également des « plumes et duvet » de la sainte, c'est-à-dire des raclures de son tombeau ou du rocher où elle faisait pénitence et que les bons moines vendaient sous ce nom. Ces plumes et ce duvet de la couche sacrée étaient dissous dans de l'eau ou dans du vin et bus par les femmes en couches, ce qui les aidait à supporter les douleurs de l'enfantement.

Les religieux de Saint-Maximin faisaient aussi graver des images de plomb à l'effigie de Marie Madeleine que les pèlerins rapportaient dans leur maison où elles étaient censées conforter la paix du ménage.

## *Un haut lieu du compagnonnage*

Parallèlement à la geste de Marie Madeleine court la légende de maître Jacques, constructeur du Temple de Jérusalem, qui, quelque neuf cents ans avant que la sainte prît la mer, fut lui aussi obligé de s'embarquer pour l'Occident, en compagnie de son ami Soubise. Au cours de cette navigation périlleuse, les deux compagnons se fâchèrent. Jacques débarqua à Marseille et Soubise continua jusqu'à Bordeaux (encore qu'à l'époque ces deux villes n'existaient pas encore). Les deux hommes, désormais, s'évitèrent, ainsi que leurs deux clans. Jacques, craignant la colère de son nouveau rival, se réfugia dans le massif de la Sainte-Baume, terme d'un voyage initiatique (prélude au tour de France des compagnons) qui l'avait mené des Gaules, dont il était originaire, à Jérusalem puis en Provence. Ce maître des tailleurs de pierre, des menuisiers et des maçons fut donc l'un des premiers ermites de la Sainte-Baume. Cénobite plutôt qu'anachorète puisque l'on dit qu'il continua à y former des élèves, en un lieu singulièrement dépouillé de toute construction humaine. Mais ce n'est pas un prêtre : on le représente généralement dans les vitraux avec l'habit de chevalier quand Soubise porte le costume monastique.

La Sainte-Baume lui était un lieu de retraite idéale en même temps qu'un abri sûr. Il fut cependant trahi par l'un des siens et livré aux compagnons de Soubise qui le tuèrent de cinq coups de poignard. Sa dépouille fut solennellement transportée en bas de la montagne, près de Saint-Maximin, où elle fut enterrée selon le rite compagnonnique. Quant à son Judas, qui se nommait Jeron, il se repentit et, de désespoir, se jeta dans un gouffre que ses complices remplirent de pierres afin que son nom fût à jamais effacé.

Depuis ce regrettable règlement de comptes, les compagnons *devoirants,* fidèles à leur maître Jacques (qu'il ne faut pas confondre avec les *gavots,* ou *Enfants de Salomon,* ni surtout avec les *bons drilles* ou compagnons du père Soubise), inscrivent la Sainte-Baume comme étape obligée de leur tour de France. « Comme dans le passé, un cachet est apposé sur les couleurs du compagnon, qui justifie de sa visite à la grotte et au

Saint-Pilon. Chaque compagnonnage possède son propre fer pour frapper les rubans du pèlerin. Au siècle dernier, le père Audebaud, qui tenait boutique à Saint-Maximin, vendait des couleurs spéciales et des lithographies aux compagnons désireux de conserver un souvenir de leur passage. Ajouté aux rameaux coupés dans le bois qui mène à la grotte, l'ensemble de ces souvenirs était connu sous le nom de pacotille[1]. »

Mistral n'a pas manqué d'évoquer ce haut fait de la mythologie provençale. Dans *Calendal* d'abord : « Quand les compagnons du Devoir de Liberté, arrivant de la Judée, débarquèrent en Provence, ils se réunirent sur les hauteurs de la Sainte-Baume. Ceux qui les virent redescendre de la montagne dirent : ce sont des gavots », écrit-il en note du chant huitième, tout entier consacré aux compagnons. Dans un conte, ensuite, publié dans l'*Armana prouvençau* de 1890, intitulé *La Grenouille de Narbonne :*

« Le camarade Pignolet, compagnon menuisier, surnommé la Fleur de Grasse, revenait tout joyeux de faire son tour de France. Sa canne garnie de rubans à la main, avec son affûtage (ciseaux, rabots, maillet), plié derrière le dos dans son tablier de toile, Pignolet gravissait le grand chemin de Grasse d'où il était parti depuis trois ou quatre ans. Il venait, selon l'usage des Compagnons du Devoir, de monter à la Sainte-Baume pour voir et saluer le tombeau de maître Jacques, père des Compagnons. Ensuite, après avoir inscrit sur une roche son surnom compagnonnique, il était descendu jusqu'à Saint-Maximin pour prendre ses couleurs chez maître Fabre, le maréchal qui sacre les Enfants du Devoir. Et, fier comme un César,

---

1. François Icher, *La France des compagnons,* Éd. de La Martinière, 1994. (On y trouvera plusieurs illustrations compagnonniques de la Sainte-Baume.)

le mouchoir sur la nuque, le chapeau égayé d'un flot de faveurs multicolores, et, pendus à ses oreilles, deux petits compas d'argent, il tendait vaillamment la guêtre dans un tourbillon de poussière...»

C'est bien joliment dit. Mais Mistral commet des erreurs qui ne lui font pas honneur. Par exemple, le Devoir de Liberté est un rite qui n'apparaît qu'en 1804 et regroupe les loups, les indiens et les gavots. Gavot étant plus précisément le surnom des compagnons menuisiers et serruriers du Devoir de Liberté. D'autre part, il donne à son héros le surnom de Fleur de Grasse, typique d'un compagnon tailleur de pierre et non d'un menuisier. Enfin, « il est intéressant d'observer que le Devoir de Liberté n'a jamais inscrit l'étape de la Sainte-Baume sur son tour de France, marquant ainsi, dans une époque où la religion séparait les sociétés compagnonniques, son désir de s'affranchir de tout lien avec l'Église catholique » (Icher).

Outre les compagnons, il est possible que la Sainte-Baume ait été également le théâtre de rencontres « ésotériques ». Robert Amadou a bien voulu me confier le texte étrange d'un « illuminé » toulonnais, daté de 1779, et adressé à un autre « illuminé » sans doute avignonnais (la date correspond à l'arrivée dans cette ville du singulier dom Pernety, fondateur des *Illuminés d'Avignon,* société secrète alors de grand renom). Le premier dissuade le second de se rendre sur la montagne sacrée :

« Au sujet de votre voyage à la Sainte-Baume, vous me permettrez de vous dire qu'il ne serait pas fructueux, en ce qu'il nous a été dit qu'il fallait être réau-croix, fils de réau-croix, pour être admis dans la société des sages qui y sont et qui, pour la disposition de leur séjour, n'ont aucune communication avec les habitants. »

Je laisse à de plus érudits que moi le soin d'identifier ces sages.

Chapitre VI

# IMAGES ET SYMBOLES DU MYTHE

## *La Sainte-Baume illustrée*

Si la geste de Marie Madeleine est devenue un mythe universel, c'est-à-dire occidental, elle a curieusement moins nourri la littérature que d'autres plus fiers inspirateurs. De plus, la plupart des œuvres littéraires qui la prennent pour sujet se limitent à sa vie orientale, sur les pas de Jésus, en ignorant son séjour en Provence. Encore faut-il attendre le XVI^e siècle pour trouver quelques ouvrages de qualité qui l'honorent : *La Conversion de Marie Madeleine,* un texte italien de 1552, ou le *Libro de la conversión de la Magdalena,* de Fray Pedro Malon de Chalde, publié à Barcelone en 1588, chef-d'œuvre de l'éloquence espagnole qui reflète sous les aspects morbides et voluptueux du péché et de sa rédemption l'esprit baroque qui préside à cette époque. Au début du XVII^e siècle, un autre Espagnol plus célèbre, Lope de Vega, écrit un petit poème sur *Las Lagrimas de la Magdalena*. Puis c'est le drame de Maeterlinck, *Marie Madeleine* qui date de 1913. Pauvre bilan pour une si riche histoire !

Les œuvres littéraires qui mettent en scène Marie Madeleine dans le décor de la Sainte-Baume ne sont guère plus nombreuses. Le premier qui ait chanté cette légende dorée est Pétrarque, dont on a vu qu'il fait plusieurs séjours dans la Sainte-Baume à partir de 1338, pèlerinage qui lui inspire le poème intitulé *Carmen de Beata Maria Magdalena*. À ce propos, Ève Duperray [1] remarque avec finesse que, en cette année-là, le poète passe de la vie mondaine à la vie solitaire, se « métamorphose » dit-il lui-même, et se retire dans son propre « désert » à Vaucluse (val clos), au pied d'une falaise qui n'est pas sans évoquer celle de la Sainte-Baume. Dans le même temps, il passe de l'amour charnel à l'amour idéal, et Ève Duperray a raison de voir en Marie Madeleine la figure emblématique de Laure. Il ne faut pas oublier non plus que, en ce temps-là, la légende de Marie Madeleine est encore toute fraîche : cinquante ans à peine séparent le poème de l'invention des reliques.

En son poème, Pétrarque porte toute son attention au personnage de la pénitente. La Sainte-Baume n'apparaît que comme un fond de paysage, assez indistinct. Il faut attendre le XVII^e^ siècle pour que le cadre dans lequel Marie Madeleine vit son aventure terrestre se dessine avec plus de netteté. En 1606, César de Nostredame (le fils du prophète de Salon) publie un poème, *Les Perles ou larmes de la saincte Magdeleine,* assez peu connu et qui mérite d'être cité :

Au ciel benin du cœur de la Provence
Un grand rocher affreusement s'advance
Qui s'eslevant d'un front audacieux
Perce la nuë & voisine les cieux.
Ce grand Colosse estrange en sa machine
Tourne sa bosse & sa grand lourde eschine.
Sa vaste espaule en descente pliant

---

1. Voir p. 137-138.

Verte & moussüe à l'Austre[1] & l'Orient.
Et d'une corne eslevée en sa cyme
Droit à son front contemple un grand abisme
Celebre en pins, desdaignant Apollon[2]
Et les fruicts d'or d'Ieres & de Tholon[3].
L'œil gauche voit la grand mer Phocienne
Et de Cesar la fabrique ancienne.
L'autre le Rosne enfermant de son cours
Avignon l'Alme & ses Papalles tours :
Mais son nombril compose un petit antre
Où seulement une fois Phoebus entre
Vers le Solstice, à costé regardant
Froid & venteux Borée et l'Occident.
Là sans tarder cette amante loyalle
Court pour bastir sa demeure royalle
Brusle d'amour & sans point de relais
A Magdelon change ce froid Palais.

Nous voici en présence de la première représentation romantique de ce site exemplaire. On remarquera que cette description s'accorde avec les compositions anthropomorphiques des peintres de cette époque, comme celles de Joos de Momper, ce paysagiste flamand qui fait le voyage d'Italie (peut-être en passant par la Sainte-Baume) et se complaît à peindre des montagnes fantastiques percées de grottes dans lesquelles se distinguent des traits humains : les grottes sont des yeux ou des bouches, la végétation se métamorphose en chevelure, en ses paysages-portraits déjà arcimboldesques[4]. Il

1. Austre pour Auster, vent du nord.
2. Le soleil.
3. Hyères et Toulon
4. Voir en particulier *L'Hiver* qui évoque remarquablement la Sainte-Baume.

y a évidemment dans cette tentative d'humanisation de la nature un souci de relever les correspondances entre l'homme et l'univers, entre la sainte et la montagne.

Cette manière d'appréhender un site empreint de religiosité (c'est-à-dire, justement, de relation – du latin *religere* – entre la créature et la création) perdure pendant tout le XVII^e siècle. En 1649, le jésuite Jean de Bussières publie des *Descriptions poétiques,* ouvrage dans lequel on trouve cet autre paysage anthropomorphique et dont je me permets de souligner les termes recourant à ce système de métaphores :

Un effroyable Mont s'esleve de la plaine
Dont le hardy sommet ne se voit qu'avec peine ;
Il va chercher le Ciel de son *front sourcilleux*
Et la Terre est un point à son *œil* orgueilleux.
On voit de toutes parts sur ses longues *eschines*
De grands amas de bois, de rochers & d'espines ;
Du *pied* jusqu'à la *teste* il est ceint de forests,
Cachant sous cet *habit* ses funestes guerets ;
Le fueillage pressé rend sa demeure sombre,
Ne luy donnant du jour que la pâleur d'une ombre.
L'invincible aspreté des rochers escarpés
Que le fer des mortels n'avoit encor coupés
Sur ce mont sourcilleux dresse mille montagnes ;
Se répandant après sur les basses campagnes ;
Ce qui paroist de terre est de ronces couvert,
Et les plus chauds estés y ressemblent l'Hyvert.
L'obscurité, la nuit, l'épouvante, l'horreur
Luy sont objets de joye & non pas de terreur…

Outre son caractère anthropomorphique, cette littérature met en relief un thème récurrent du romantisme (qui commence bien avant le XIX^e siècle) : celui de la montagne décrite en négatif. En termes d'horreur physique et de vertige mental. Les premiers touristes qui traversent ces contrées sauvages s'accordent à les considérer comme inhumaines, dangereuses et repoussantes, dans le même temps qu'ils sont par elles attirés et comme fascinés. Leur vocabulaire recourt aux termes les plus extrêmes pour qualifier cette succession de précipices, de gouffres insondables, de rocs escarpés et de végétation antédiluvienne, et leur style rejoint volontiers celui des romans noirs de l'époque romantique. Ils rejoignent en cela le texte de Lucain sur lequel s'ouvre l'histoire de la Sainte-Baume. En 1663, paraît un *Voyage dans le Languedoc,* sous la double plume de Chapelle et Bachaumont. Claude Emmanuel Chapelle et François Le Coigneux, dit de Bachaumont, sont des libertins érudits (libertin étant pris dans le sens que lui donne le XVII^e^ siècle) qui, entre ripailles et aventures galantes, font le pèlerinage de la Sainte-Baume, moins pour y honorer la pécheresse que pour aiguiser leur sensibilité devant un paysage terrifiant. Ils croient y périr sous une effroyable pluie et, à peine arrivés, sont pris « d'une extrême impatience d'en sortir sans savoir pourquoi ».

Ce contraste entre la lumineuse élévation de Marie Madeleine et la sombre opacité qui enveloppe son refuge est tout à fait caractéristique du mythe magdalénien : ombre et lumière correspondant à péché et repentir. Dans l'esprit de ce préromantisme, l'extatique éthérée sort de sa gangue terrestre. Le jour s'évade de la nuit.

À la même époque, la poésie baroque emprunte aux jeux du langage pour dire avec des mots nouveaux le mystère de cette relation entre la parole et la prière. En 1668, un certain Pierre de Saint-Louis, amoureux contrarié d'une jeune fille prénommée Madeleine, écrit un poème intitulé *La Magdeleine au désert de la Sainte-Baume en Provence.* Ce carme, du couvent des Aygalades de Marseille, fut sans doute inspiré par le séjour que Marie

Madeleine aurait fait dans une grotte de ce quartier. Théophile Gautier le comptera parmi ses « grotesques », justement, en raison de sa « fièvre chaude poétique ». Pour l'historien de Marseille, Bouyala d'Arnaud, « la plus grande pénitence de Marie Madeleine aurait été de lire ce long hommage burlesque dont elle fut l'objet ». Mais Pierre de Saint-Louis fait preuve d'originalité : il utilise dans son poème les vertus de l'anagramme : « le me isi la grande amante / Saincte Marie Magdelaine » ou « S Marie Magdeleine / Ma rime l'a designée. »

Avec le XIXe siècle, nous retrouvons la grande vague lyrique et noire, mise au goût du jour. Chateaubriand retrouve pour évoquer la Sainte-Baume les accents romantiques. Toutefois, il demeure plus sensible au paysage mental qu'à l'aspect physique de la montagne. On attendait (encore que le lecteur moderne sauterait allégrement ce passage) une longue description des lieux en ce style grandiose qu'il utilise pour peindre les rives du Meschacébé. Mais non, devant ce haut lieu qu'il ne connaît que de façon livresque, il est seulement assoiffé de mystique : « C'est ici la sainte montagne ; le sommet élevé d'où l'on entend les derniers bruits du monde et les premiers concerts du ciel ; c'est ici que la religion trompe doucement une âme sensible : aux plus violentes amours, elle substitue une sorte de chasteté brûlante où l'amante et la vierge sont unies ; elle épure les soupirs ; elle change en une flamme incorruptible un feu périssable ; elle mêle divinement son calme et son innocence à ce reste de trouble et de volupté d'un cœur qui cherche à se reposer, et d'une vie qui se retire. »

Ce texte de Chateaubriand sert d'exergue au chapitre X d'un roman, bien fané aujourd'hui, publié en 1834 par Joseph d'Ortigue, et qui a pour titre *La Sainte-Baume*. Il relate le voyage initiatique de deux chevaliers qui, sur le chemin de la montagne sacralisée, parcourent les étapes successives de la prédestination, de l'initiation et de la purification. L'intérêt du livre est ailleurs, dans les descriptions qui brossent un tableau vraisemblablement exact de l'état des lieux en ce début du XIXe siècle. Nous en avons déjà cité quelques extraits. Curieusement, l'auteur reprend à son compte la vision anthropomorphique des poètes de la Renaissance : « Voyez-vous d'ici ce grand trou noir creusé au milieu du rocher taillé à pic au-dessus des massifs de la forêt, et qui semble l'œil de la montagne cyclopéenne ? » Lui aussi, et comme tous ceux de sa génération, est impressionné par le passage de l'ombre à la lumière. Et par le sentiment qu'une antinomie se résout ici entre l'horreur et la révélation : « Ces lieux, outre leur beauté naturelle qui porte l'âme à la contemplation et la remplit d'une douce mélancolie, sont pleins de souvenirs si touchants, si terribles, si poétiques même, qu'on ne saurait en approcher sans éprouver une plénitude, un air vivifiant qui fait qu'on se croit meilleur et mieux disposé, ou bien une secrète et salutaire terreur qui fait qu'on se sent coupable. » C'est dans cet ouvrage, si peu romanesque, qu'on trouve les plus fertiles réflexions sur la confrontation naturelle de la vie et de la mort que propose ce bois sacré.

Après la lecture de ces pages romantiques, les textes modernes sont un peu pâlots, pour ne pas dire qu'ils manquent tout à fait de lyrisme. On aurait aimé que Huysmans fit à la Sainte-Baume un séjour prolongé, fût-ce en imagination, mais c'était un homme du Nord que la mystique provençale n'a jamais ému.

Si le mythe de la Madeleine à la Sainte-Baume, devenu universel, c'est-à-dire occidental, a trouvé en somme peu d'échos dans la littérature, il a en revanche constamment inspiré les peintres. En fait foi la récente (1996) exposition organisée par Ève Duperray au musée Pétrarque de Fontaine-de-Vaucluse sous le titre : *Marie-Madeleine, figure inspiratrice dans la mystique, les arts et les lettres,* qui a réuni une collection remarquable de gravures et de peintures consacrées à ce thème, avec, au catalogue, un appareil critique exemplaire. On y découvrait en particulier toute la richesse de ce paysage mental.

La Sainte-Baume est d'abord un paysage fantastique, c'est-à-dire fantasmatique. Il convient admirablement au décor que la peinture, si longtemps religieuse, a accordé aux manifestations tangibles de la foi (les grands thèmes iconographiques : la Résurrection, l'adoration des mages, la fuite en Égypte...) et, plus particulièrement, à la vie érémitique. Les « déserts » y sont toujours peuplés (animés) par des chaos rocheux dont on peut se demander s'ils sont vraiment de notre planète. La réponse est paradoxalement affirmative. Les voyageurs médiévaux avaient pu voir de leurs propres yeux les extraordinaires Météores de Thessalie. Les Provençaux étaient familiarisés avec les amoncellements rocheux des Baux qui semblent s'écrouler inlassablement dans une immobilité atemporelle comme dans les tableaux de Monsu Desiderio. Les exemples ne manquent pas de constructions cyclopéennes, déchiquetées, morcelées, en équilibre instable, que l'architecture naturelle propose au spectateur stupéfié, pétrifié à son tour.

Décor interchangeable, le chaos rocheux a justement pour fonction de suggérer le désert dans ce qu'il a d'inhumain, ou plutôt de transhumain. Passage vers l'autre monde, percé de grottes qui ne sont plus des yeux mais des bouches d'ombre, oraculaires. S'y cachent les dragons devant être vaincus, les lions apprivoisés, les oiseaux dont on apprend la langue. Ces rochers donnent volontiers le sentiment qu'ils sont faux – comme ceux du zoo de Vincennes à Paris, où, justement, les fauves sont assagis dans un éden reconstitué – et cette ambiguïté est là pour nous rappeler la fragilité de nos sens et de notre raison. Ils sont monstrueux, défiant autant l'homme que la nature. C'est voulu. Ils sont exceptionnels, extraordinaires, parce que la scène qui se joue devant eux est, elle aussi, extraordinaire. Ils font peur, mais l'angoisse qu'ils provoquent n'est là que pour valoriser le courage de celui qui se retire auprès d'eux afin d'accéder à la révélation. Leur rudesse est celle de la discipline, de ce fouet ou de cette corde que Madeleine a posés devant elle, et du cilice. À tous ces critères, la Sainte-Baume répond parfaitement.

Peu de peintres, sans doute, ont posé leur chevalet au pied de la Sainte-Baume, mais beaucoup en ont eu la vision, au sens que le mot prend effectivement au XIIIe siècle, c'est-à-dire la représentation mentale d'une chose surnaturelle. Elle leur est apparue comme Madeleine à ses visionnaires, même[1]. Ils ont imaginé ce chaos rocheux bouleversé, morcelé, plein de fissures, de failles, de grottes, non comme une toile de fond mais comme un lieu de passage vers l'au-delà, un seuil entre la vie et la mort. Un paysage de ruine, parce que le chaos rocheux correspond aux ruines de la nature comme les monuments abandonnés correspondent aux ruines de l'homme.

Si, dès le XIVe siècle, Giotto représente Madeleine dans un environnement de rochers pointus, c'est au XVIe siècle que, dans la peinture, la Sainte-Baume peut prétendre apparaître en tant que telle : chez Cranach d'abord, en 1506 ; chez Dürer aussi, la même année.

1. J'allais dire, parodiant le *Grand Verre* de Marcel Duchamp, la Madeleine mise à nu par ses visionnaires, même.

Peignant *L'Élévation de la Madeleine*[1], Dürer situe la montagne au bord de la mer, mont chauve parsemé de quelques poils forestiers. Le Titien, lui, se satisfait d'un paysage évasif, comme anonyme ou utopique, une montagne de nulle part parce que la pénitence de Madeleine pourrait avoir lieu n'importe où, à condition que ce soit ailleurs. Parmi tous les tableaux des débuts de la Renaissance, une œuvre retient l'attention de qui se penche sur le mystère magdalénien : *L'Extase de sainte Marie Madeleine* peint par Joachim Patinir dans les premières années du XVIe siècle (né sur les bords de la Meuse, il est mort à Anvers en 1524). Un si petit tableau pour un si vaste horizon[2] ! L'extase de la pénitente se réduit à une apparition fantomale s'élevant au sommet de la falaise et devant elle. Mais la Sainte-Baume est là, pour la première fois reconnaissable, bien que l'on ne sache pas que Patinir soit passé par là. Le fond de paysage est évidemment plus meusien que marseillais, mais c'est la mer tout de même que l'on voit, avec l'embouchure d'un fleuve (l'Huveaune ?), avec à gauche (à l'est) la forêt obscure. La montagne se dresse tel un monolithe aux contours fantastiques. Un chemin sinueux part de la plaine pour gagner le plateau – symbole du pèlerinage qu'il faut mériter et de la circumambulation rituelle. La montée est rude autant que lente, avec des méandres obligés, et se prolonge par un escalier raide qui mène à la plate-forme où est bâtie l'abbaye. La grotte est invisible. L'abbaye, à sa place, capte le regard. C'est que, dans la vision du peintre, il y a télescopage dans le temps. Au moment même où Madeleine est enlevée de la terre au ciel, l'abbaye est déjà construite et habitée. Il

1. Xylographie de l'École des beaux-arts à Paris.
2. Kunsthaus de Zurich.

faut s'attarder sur cette plate-forme rocheuse qui lui sert de socle. Pour nous, c'est l'actuelle hostellerie du plateau de Nazareth. Pour Patinir, c'est celui où fut bâti le Temple de Jérusalem. La configuration est identique. Celle que décrit Umberto Eco dans *Le Nom de la rose*. Un lieu symbolique entre tous. Et qui hante littéralement plusieurs tableaux de Patinir. Dans *Le Repos pendant la fuite en Égypte,* on retrouve exactement la même montagne, le rocher central de *L'Extase,* le chemin sinueux, la plate-forme et l'abbaye, le fleuve se jetant dans la mer et la sombre forêt. Dans les deux tableaux, la falaise semble envelopper de ses plis l'abbaye, la draper comme un suaire. Dans *Le Repos,* s'ouvre au-dessus de l'abbaye, au flanc de la falaise, une anfractuosité qui pourrait être la grotte absente de *L'Extase*. Les pèlerins qui montent vers le rocher sont coiffés de turbans et vêtus à l'orientale (c'est le temps des turqueries) et, sur leur passage, les idoles tombent de leur piédestal, comme une allusion aux figures du paganisme dont Madeleine a débarrassé la Sainte-Baume.

Bruegel à son tour peint un *Paysage avec sainte Madeleine,* avec la Sainte-Baume et le refuge de la pénitente en bas à gauche, tandis qu'à droite coule la rivière de l'Huveaune. Mais, comme les autres peintres du XVIe siècle, il ne cherche pas à copier le motif, à représenter la réalité physique de la Sainte-Baume. Le paysage n'est encore que prétexte à méditation. Au XVIIe siècle va s'affirmer la fonction moralisatrice de ce paysage, « admirable séjour d'horreur et de plaisir », comme l'écrit en titre M. Giraud dans son étude sur *Le Paysage poétique de la Sainte-Baume au XVIIe siècle* [1]. Moins que jamais, cette représentation n'est un paysage, au sens moderne

1. Mélanges offerts à Georges Couton, Lyon, 1992.

d'environnement naturel peint pour lui-même. Il est l'un des éléments constitutifs de la scène, et sans doute aussi important que le ou les personnages concernés.

## *Images de Marie Madeleine*

Paradoxalement, la peinture des XVIIIe et XIXe siècles, au moment où le paysage est peint pour lui-même, efface l'environnement au profit du personnage. Le paysage est intériorisé. On ne regarde plus la Sainte-Baume, mais on pénètre dans la grotte pour y surprendre Madeleine dans son intimité. On entre chez elle, et, avec elle, on oublie le dehors. Voyez *La Madeleine* de J.-M. Nattier peinte sous Louis XV[1] : la pénitente est allongée au bord de la grotte dont l'ouverture, telle une fenêtre, procure une vue bucolique. Mais ce paysage est sans intérêt puisque Madeleine ne le regarde pas. Elle est en retrait du monde, de ce monde même de la Sainte-Baume qui n'est plus qu'une coquille empruntée comme celle d'un bernard-l'hermite.

Ces portraits imaginaires de Marie Madeleine – dont nous évoquerons non plus la chronologie mais la thématique – mettent fatalement l'accent sur son corps. Madeleine, en effet, n'est pas une sainte comme les autres, ni comme un personnage des Évangiles, un nom sur une absence physique : c'est une pécheresse repentie, c'est-à-dire une femme dont le corps est terriblement présent dans sa mortification même.

Ainsi Madeleine est-elle d'abord nue. Sans doute vêtue de sa longue chevelure, mais sous laquelle on sait bien qu'elle est nue. La chevelure ne saurait vraiment jouer le rôle de vêtement : elle fait partie intrinsèque du corps. C'est encore son corps. Quelque part, la chevelure

1. Musée du Louvre, Paris.

dévoile plus qu'elle ne cache ce sein qu'un chrétien ne saurait voir. Elle souligne en tout cas la nature sexuelle de son péché. En outre, on l'a déjà dit, en dénouant ses cheveux et en les laissant tomber sur ses épaules (et jusqu'où ?), Madeleine, dès sa rencontre avec Jésus, transgressait un interdit séculaire. Et pas seulement chez les juifs du premier siècle : il n'y a pas si longtemps qu'en Occident une femme « en cheveux » était considérée comme de mœurs légères.

Si se dévêtir est un signe de dépouillement, de détachement des valeurs matérielles, l'ermite ne se dénude pas au regard de son Dieu, il se couvre seulement d'une autre peau, animale le plus souvent comme celle d'une bique, c'est-à-dire d'une pilosité sauvage. Les peintres n'ont pas eu ce souci. Aucun d'entre eux n'a ainsi vêtu Madeleine. Le premier, Giotto (contemporain de l'invention des reliques) la montre cachant sa nudité devant un saint qui lui apporte un manteau (réminiscence de la rencontre de Marie l'Égyptienne et de Zosime). Au XVIe siècle, le Titien l'affuble d'une robe qui laisse ses bras nus et lui conserve des cheveux longs et dénoués. Le Corrège l'habille, mais lui laisse un décolleté avantageux. C'est qu'à cette époque, la nudité n'est plus signe d'innocence comme dans la peinture médiévale. « Les censeurs de la Contre-Réforme se sont élevés unanimement contre la profusion de nudités qu'apporte inévitablement l'illustration des anciens sujets mythologiques. À première vue, il paraît donc difficile de concilier ces interdits avec les figures de la Madeleine dénudée, mais la chasteté qui exclut la sensualité de certaines représentations lève cette contradiction. Philippe Galle, par exemple, grave vers 1620 une allégorie de la Poenitentia avec une femme aux seins nus qui ne devait pas choquer ses contemporains. Les artistes espagnols ne dénudent jamais la Madeleine, les Français rarement ou fort peu. En revanche, les Italiens, si familiers des nudités héroïques, n'hésitent pas à représenter la pénitente dévêtue, sans qu'il y ait obligatoirement une connotation érotique » (Odile Delenda[1]).

Érotisme, non ; mais sensualité, voire. En voulant cacher le corps innocenté de Madeleine sous des vêtements décents, et à la mode, les artistes ne font que l'affubler d'un costume mondain, trop mondain, et vont ainsi au rebours du mythe. Les théoriciens de la Contre-Réforme n'en sont pas dupes qui, comme Molanus en 1570, s'insurgent contre ceux qui peignent la Madeleine « ornée, pis qu'une histrionne, où sous le couvert d'une sainte se fait le portrait d'une concubine [1] ». Devant ce concert de réprobations, ajoute Odile Delenda, « les exquises et coquettes myrrophores [2] de la Renaissance disparaissent peu à peu ». Mais, là encore, l'Italie résiste, et Giuseppe Crespi mêle encore, à l'aube du XVIII^e^ siècle, piété et volupté en insistant sur le goût raffiné et sensuel du péché qui demeure ainsi toujours sous-jacent.

Les représentations les plus spectaculaires de Marie Madeleine vêtue de sa seule chevelure se trouvent curieusement en des endroits quasi érémitiques, sur les fresques peintes à la fin du XV^e^ siècle dans de petites chapelles rurales de montagne du haut pays niçois, chapelles rustiques bâties au sommet des cols de transhumance et fréquentées seulement par des bergers. Ainsi de la chapelle Saint-Sébastien à Saint-Étienne-de-Tinée et de la chapelle Saint-Érige d'Auron. Cette dernière offre sa niche centrale tout entière occupée par la vie de la sainte

1. In Catalogue de l'exposition *Marie Madeleine* au musée Pétrarque de Fontaine-de-Vaucluse, 1996.

2. Myrrophore : porteuse d'un vase à parfum, plus exactement à myrrhe.

qui trône en majesté, enveloppée d'une superbe chevelure d'un blond doré qui descend jusqu'à ses pieds et dissimule complètement son corps.

Dans cette approche du corps de Marie Madeleine, on ne saurait passer sous silence le fait qu'elle est, le plus souvent – pour ne pas dire toujours –, fort potelée. Les peintres se sont refusés à lui donner l'aspect squelettique des ermites du désert, exclusivement nourris de racines et d'herbes. Là aussi ils vont à l'encontre du mythe. À la fin du XVIe siècle (vers 1586-1588), Annibal Carrache peint sa *Madeleine dans un paysage* où la contemplative est à demi couchée sur sa natte, les jambes et les cuisses largement dévoilées et grasse comme une caille.

Ce qui nous amène à souligner un autre impératif pictural : Marie Madeleine est presque toujours représentée couchée. À la rigueur accroupie, peu souvent agenouillée. L'accent est encore mis volontairement sur sa vie de pécheresse. Mais cette attitude est aussi celle de la gisante. Non pas celle qui est morte, mais celle qui attend la mort. On sait qu'à l'époque où se forme la légende magdalénienne, le gisant apparaît comme l'élément d'un nouveau rite funéraire. Appréhendant le Jugement dernier, sinon l'Apocalypse, l'homme de ce temps-là, confronté à une mort collective, sait qu'à son décès plus personne ne sera là pour lui fermer les yeux, pour l'ensevelir, pour graver son nom sur sa tombe. Alors il se couche lui-même sur le tombeau, et non dedans, croise les mains et abaisse ses paupières. À l'ermite du désert se pose le même problème. Il doit assurer ses propres funérailles.

Toutefois, dans sa grotte, Madeleine ne passe pas sa vie couchée. Elle connaît, nous l'avons vu, des extases qui l'élèvent en plein ciel. Le thème de sa lévitation a inspiré bien des peintres, dès la fin du Moyen Âge. La

Renaissance s'en est emparée avec ferveur. En 1506, en même temps que Cranach, Dürer peint *L'Élévation de la Madeleine*. La sainte (nue intégralement et ne cachant sa vergogne que sous une mèche de cheveux un peu folâtre) monte au ciel, les mains jointes, soutenue par des angelots qui l'effleurent à peine, quatre autour de son buste, deux à la hauteur de ses mollets. Le ciel est vide et serein. Si l'on tient compte des proportions voulues par l'artiste, Madeleine monte très haut au-dessus de la montagne qui disparaît à ses yeux. C'est le ravissement à l'état pur.

Mais, au XVII^e siècle, ce ravissement fait place à l'extase. Madeleine n'est plus enlevée au ciel, elle tombe en pâmoison. Là encore sont intervenus les théologiens de la Contre-Réforme qui ont scruté les transports de la vie contemplative. Dès lors, « les artistes vont tenter de représenter l'extase en s'inspirant des descriptions des extatiques ou de leurs témoins. Le ravissement total prive le sujet de ses sens, lui donnant l'aspect de la mort [...] Le premier artiste qui ose représenter cette mort apparente dans sa brutale réalité va être le Caravage. Son *Extase de sainte Madeleine* précède une longue série de saintes évanouies » (Odile Delenda). À son tour, Rubens propose *Marie Madeleine en extase* où la sainte tombe dans les bras de deux anges, cette fois de sa taille et bien virils. Dans une gravure de Claude Mellan d'Abbeville (1598-1688), qui s'inspire du tableau de Rubens, la pâmoison est portée à son paroxysme. Madeleine se renverse, se révulse, en proie au spasme. Littéralement elle tombe « dans les pâmes » (on dit aujourd'hui « dans les pommes »). Elle défaille, elle est agitée de convulsions. Les mots ici ont une valeur essentielle qui nous permet d'appréhender ce trouble tombé en désuétude. Nous ne sommes pas loin de l'arc hystérique que provoquera

Charcot sur ses comédiennes de la Salpêtrière. On rejoint l'atmosphère des séances d'exorcisme infligées à Madeleine de Demandolx. Mais, dans le tableau de Rubens, comme dans la gravure de Mellan, la pâmoison ne vient nullement de cette fureur utérine dont Marie Madeleine a pu être la victime en sa jeunesse folle ; elle naît du souffle divin qui la frappe de plein fouet. Les deux artistes ont cru bon de rendre visible ce souffle, sous la forme de traits en diagonale dirigés sur le cœur de la repentie. Chez Mellan, ce dard multiple comme un faisceau de flèches se manifeste tel un vent violent qui fait plier les arbres de la Sainte-Baume et les herbes au premier plan. Si l'on m'autorise ce rapprochement, il existe un rapport fantasmatique entre ce souffle et celui dont l'abbé Gaufridy usait pour séduire Madeleine de Demandolx. Autre facette du mythe qui ne cesse de nous interpeller et de nous faire passer de l'ombre à la lumière.

Ombre et lumière qui sont encore un thème récurrent de cette mise en image. Dans sa grotte, Marie Madeleine baigne dans un perpétuel clair-obscur. Entre l'ombre du péché – passé – et la lumière de la révélation – à venir. Le peintre ayant le mieux approché cette confrontation est Georges de La Tour [1] qui, dès 1640, peint trois *Madeleine* dont il est intéressant de suivre l'évolution. La première, dite *La Madeleine au miroir,* met l'accent sur le jeu de lumière que suscite la présence d'un miroir dans lequel se reflète la flamme d'une bougie et que contemple celle qui médite. Madeleine, ici assise, pose la main sur un crâne, qui cache la chandelle (et se trouve ainsi à contre-jour) et n'a d'attention que pour son image inversée qui, à son tour, la regarde et, lui renvoyant le rai

1. Georges de La Tour chez qui la végétation, c'est-à-dire la nature, est totalement absente.

de lumière, l'éclaire. « Ce reflet qui semble attirer la méditation de la pénitente vers un monde irréel [1]. »

Dans le deuxième tableau, dit *La Madeleine aux deux flammes,* « le regard de la sainte se dirige, non vers un objet pieux, mais sur un miroir. Toutefois, à la place du crâne, c'est la flamme de la chandelle qui se reflète ici. Et les objets sont disposés de telle sorte que la Madeleine ne peut apercevoir ce reflet. Elle ne contemple que la flamme et le miroir, lui-même double symbole de la vanité humaine par son cadre dont la richesse évoque la coquetterie passée, et par sa glace, qui ne contient que des reflets fugitifs [2] ». Là, Madeleine porte une jupe ornée de galons. Un collier de perles, un pendant d'oreille, une gourmette sont abandonnés sur la table, un pendentif est tombé à terre... La pénitente se débarrasse des objets de la mondanité. La lumière semble moins venir de la chandelle et de son reflet que du corps même de la sainte, qui s'illumine.

Le troisième tableau, dit *La Madeleine à la veilleuse,* accentue l'évolution du thème : Madeleine est toujours dans la même position méditative mais elle ne contemple plus que la lumière de la chandelle éclairant les livres. Le miroir a disparu. Comme les bijoux. Comme la robe à passementerie qui a fait place à une jupe grossière et courte, que maintient une ceinture en corde. Madeleine s'est tout à fait détachée des biens terrestres.

Chez Georges de La Tour, Madeleine est elle-même cette veilleuse qui, dans la nuit, perpétue la lumière, elle veille quand le monde dort, elle veille à ce que cette

---

1. Pierre Rosenberg et Jacques Thuillier, in Catalogue *Georges de La Tour,* exposition à l'Orangerie des Tuileries, Paris, 1972, Éd. des Musées nationaux.
2. P. Rosenberg et J. Thuillier, *op. cit.*

lumière ne s'éteigne pas. Sur ce tableau exemplaire, René Char a écrit un très beau poème : « Je voudrais aujourd'hui que l'herbe fût blanche pour fouler l'évidence de vous voir souffrir : je ne regarderai pas sous votre main si jeune la forme dure sans crépi de la mort. Un jour discrétionnaire, d'autres pourtant moins avides que moi retireront votre chemise de toile, occuperont votre alcôve. Mais ils oublieront en partant de noyer la veilleuse et un peu d'huile se répandra par le poignard de la flamme sur l'impossible solution. »

Cette « forme dure sans crépi », c'est évidemment le crâne que Madeleine tient ici sur son giron. Qu'elle caresse encore de la main, sans le regarder. Parmi les attributs de la sainte (le livre, la discipline, la croix...), le crâne omniprésent nous invite à considérer la représentation magdalénienne comme une de ces « vanités » en vogue aux XVIe et XVIIe siècles, un *memento mori* (souviens-toi que tu es mortel) mais que je préfère écrire *memento mortis :* je me souviens de ma mort. Tout au long de sa longue pénitence, Madeleine ne cesse de mourir. Et c'est en cela qu'elle est vivante, quelle que soit sa réalité terrestre.

# CONCLUSION

Dans cette osmose mystique entre la montagne et la sainte recluse, la grotte de la Sainte-Baume est semblable à la crevase oraculaire de Delphes où Apollon (Dieu) s'adressait aux hommes par l'intermédiaire de la Pythie, rôle ici dévolu à Marie Madeleine, instrument d'un message divin qu'il nous appartient de décrypter. Comme la Pythie légendaire, la Madeleine traditionnelle ne fut d'abord qu'une fille ordinaire. Conduite en ce lieu emblématique, elle fut élue au rang de prophétesse. Non pas dans le sens vulgaire d'une devineresse de notre avenir, mais d'un médium ayant communication avec un autre monde. Grâce à elle, l'homme peut entendre une voix, issue de cette bouche d'ombre qu'est la grotte. Voix inaudible, mais qui se fait entendre à qui sait l'écouter.

Cet itinéraire du sacré que nous avons parcouru – cheminement de la sainte et route du pèlerin – remonte à la source, à travers la montagne et la forêt. Parcours initiatique vers la source d'eau pure, la fontaine obscure. Traversée d'un paysage symbolique jalonné de rochers fantastiques et de végétation édénique. Pour parvenir au lieu clos où, en position fœtale, l'être humain peut espérer renaître à une autre vie. La Sainte-Baume est un ventre maternel et fécond, Madeleine une vierge-mère qui, si elle n'a pas fait d'enfant, encore moins d'enfant divin, a donné naissance à d'innombrables croyants pour qui elle fut à la fois l'initiatrice et la médiatrice.

La montée de la Sainte-Baume n'atteindra jamais la qualité spécifique du ravissement magdalénien, mais constitue tout de même une singulière approche du point suprême où la terre confine au ciel.

Que l'on soit croyant ou non, que l'on croie ou non à la présence réelle de Marie Madeleine dans la Sainte-Baume, cette montagne sacralisée constitue, dans la géopoétique de notre temps, un parc naturel de la religiosité, fût-il seulement un haut lieu de la réconciliation de l'homme avec la nature, c'est-à-dire avec l'univers.

# SOMMAIRE

# EXTRAITS DU CATALOGUE

ANDRÉ BAREAU - *La Voix du Bouddha*
Par un spécialiste du bouddhisme ancien, professeur au Collège de France, « l'une des meilleures lectures sur le sujet » *(Le Monde)*.

JEAN BIÈS - *Voies de sages*
Douze maîtres spirituels témoignent.

JEAN BIÈS - *Les Grands Initiés du XX^e^ siècle*
La vie et le message de trente sages, maîtres spirituels, chercheurs de vérité.

MICHEL BOUNIAS - *Si Dieu avait créé le monde*
L'hypothèse de la création divine confrontée à la science d'aujourd'hui.

FRANÇOIS BRUNE - *Les morts nous parlent*
Biologistes et physiciens considèrent désormais la vie après la mort comme une hypothèse sérieuse.

ANDRÉ COUTIN - *La Vie du Christ après sa mort*
Durant vingt siècles, la présence du Christ dans l'histoire des hommes.

*Le Coran* - Traduction de JEAN GROSJEAN
Une traduction qui restitue non seulement le message, mais aussi le souffle poétique dans sa beauté sacrale.

GUY DELEURY - *Les Fêtes de Dieu*

Les grandes fêtes religieuses du christianisme. Leurs origines, leurs sens, la joie.

JEAN GROSJEAN - *Les Versets de la sagesse*

L'Ecclésiaste traduit et commenté par un des grands poètes d'aujourd'hui.

RÉGIS HANRION - *Les Pèlerinages en France*

Une carte du sacré : les lieux, leur histoire, leur part de réalité et de tradition.

PIERRE HAÏAT - *Les Poètes de Dieu*

Les plus beaux textes des grandes religions.

ERIK HORNUNG - *L'Esprit du temps des pharaons*

La pensée directrice de l'ancienne Égypte.

JACQUES LACARRIÈRE - *Au cœur des mythologies*

En suivant les Dieux, le légendaire des hommes.

BASARAT NICOLESCU - *L'Homme et le Sens de l'Univers - Essai sur Jakob Bœhme*

Une des plus grandes figures de la mystique spéculative de tous les temps.

HÉLÈNE RENARD - *L'Après-Vie*

Croyances et recherches sur la vie après la mort.

HÉLÈNE RENARD - *Des prodiges et des hommes*

Des faits réels et inexplicables.

JOHN ROMER - *La Bible et l'Histoire*

L'histoire, mythes et réalités, du Livre saint.

CET OUVRAGE, PUBLIÉ SOUS L'ÉGIDE DE KIRON,
CENTRE D'ART, DE CULTURE ET DE COMMUNICATION
DU GROUPE PALLADIUM,
A ÉTÉ IMPRIMÉ PAR L'IMPRIMERIE DARANTIERE À QUETIGNY
POUR LE COMPTE DES ÉDITIONS DU FÉLIN
PHILIPPE LEBAUD ÉDITEUR
EN JUIN 1998

*Imprimé en France*

Dépôt légal : 2e trimestre 1998
N° d'impression : 98-0543